LE RAS-LE-BOL DES SUPERWOMEN

MICHÈLE FITOUSSI

LE RAS-LE-BOL DES SUPERWOMEN

CALMANN-LÉVY

ISBN 2-7021-1606-X

Imprimé en France

A SuperMan

Sommaire

Avertissement

Nous ne rentrerons jamais à la maison

On avait gagné.

Enfin on le croyait. Le MLF et toutes les vieilles lunes du féminisme : enterrées, comme la hache de guerre des sexes. Au rancart pancartes et calicots. Beauvoir, Millett, Friedan, que grâces leur soient rendues, ne sentaient plus le soufre. Tout juste la naphtaline. Plus de combat, plus de combattantes. La « vieille » génération, celle des trente-quarante-cinq ans, contemplait fièrement ses acquis (et en profitait) cependant que la suivante, les vingt-trente ans qui n'avaient pas connu les grands soirs de la sororité, empochait sans scrupules les dividendes des bagarres enflammées de ses aînées : pilule, avortement, union libre, lycées mixtes, permis poids lourds, droit au travail quinze heures par jour comme les mecs. (Eux, ils gagnaient au change, si j'ose dire, complet.) Libertée, Egalitée, Fraternitée, s'inscrivaient au féminin au fronton d'une société désormais grande ouverte à la moitié du ciel.

A l'aube des années quatre-vingt-dix, la Femme, ex-Objet, ex-Eunuque, ex-Mystifiée, ex-Libérée. ex-Libre, ex-Nouvelle, était enfin devenue une Autre. C'est-à-dire, Elle-Même. Tout le monde était, pour une fois, d'accord. Les sondages, les pubs, les magazines féminins bourrés de SuperWomâneries glorifiant les nouvelles battantes, les féministes (au chômage technique par la force des choses), et les essayistes qui constataient avec satisfaction que l'Unisexe, de mode, virait au mode de vie. Pédégères et NouveauPères, unis pour le meilleur et sans le pire, se partageant le Pouvoir et les courses au supermarché : la vision idyllique d'une mutation réussie. Idyllique, certes, mais fausse.

Car voilà qu'insidieusement s'est repointée une nouvelle forme d'esclavagisme sournois, le degré ultime de l'asservissement féminin... Son nom ? La SuperWoman ou Femme Parfaite. Le nouveau mythe des femmes d'action, le dernier modèle à suivre. Un être hybride, bizarroïde, croisement d'« Executive Woman », de « Maman de Choc » et d'Inés de la Fressange, mâtinée de Marilyn. Tenez, la voilà qui s'avance, aussi performante qu'un MacIntosh Plus, Chanellisée le jour, Alaïsée le soir, une main aux ongles nickel sur son dernier dossier (sa plaidoirie, son bilan, son stéthoscope, etc.), l'autre tenant avec amour la menotte poisseuse (de gâteau au chocolat maison) d'un chérubin grognon, la bouche Rouge Baiser sur celle de l'homme de sa vie, une oreille branchée sur le supermarché par téléphone, l'autre en direct sur la ligne Paris-Tokyo. La voilà qui s'avance, disais-je, d'un pas énergique à la conquête du monde. Ou au bord de l'abîme. Car souvent l'Enfer touche au Paradis.

SuperWomen ou SuperPoires ?

A peine le temps de savourer notre liberté toute neuve durement gagnée sur le front du féminisme, qu'on s'est bêtement retrouvées seules en piste. Avec tout sur les épaules, comme Atlas portant le monde. Infatigables, insatiables, on a voulu mettre les bouchées doubles, rattraper toutes ces années gâchées à « ne rien faire », ne rien louper. On s'est lancées d'un seul élan dans nos nouveaux acquis, boulot à corps perdu et sexe à corps joie, tout en conservant précieusement le vieil héritage de nos aïeules : bonnes mères, bonnes épouses, bonnes maîtresses de maison. Beaucoup pour un seul être. Mais on n'a pas craqué, on a crâné. Et poussé la barre plus haut. Mode, art, littérature, beauté, politique, etc. On a voulu être partout et exceller en tout.

On ? Nous, bien sûr. Nous toutes ces SuperWomen, dont le mot d'ordre obligé est de tout concilier (un verbe bizarrement conjugué au féminin). Nous essaimons partout. Dans toutes les sphères. Des femmes qui travaillent par obligation, avec des métiers pénibles ou peu valorisants et qui slaloment entre enfants, chefaillons, maison, etc., aux *leaderesses* qui chassent sur les mêmes terrains de travail que les hommes, perchées comme eux sur les plus hauts barreaux, en passant par toutes celles qui sans être des BusinessWomen implacables ont mené leur carrière comme elles l'entendaient. Tambour battant. Et qui se retrouvent dans le même temps coincées elles aussi par leur métier de femme.

Ce sont surtout ces dernières qui se sont fait piéger, ces mutantes, dont le credo n'est plus seulement tout *mener* (souvent par force) de *front*, mais tout *réussir*. Avec facilité. Et pas seulement le travail et la maternité, mais le reste, tout le reste. Elles… NOUS… avons cru très fort à notre indépendance, sans nous apercevoir que le jeu était truqué.

Des responsables ? Comme on le lira dans ces pages, on n'en a pas manqué. Car aujourd'hui, toute honte bue, avouons-le bien haut : nous nous sommes fait rouler.

Rouler par ces inconscientes de féministes qui nous

ont bourré le crâne avec leurs belles idées pour mieux nous larguer ensuite au milieu de la route.

Rouler par le NouvelHomme et le NouveauPère qui ont fait trois petits tours avant de s'évanouir en fumée.

Rouler par la pub, les médias, les Mauvais Exemples (toutes ces battantes surmédiatisées), par la société qui a pour tous les ambitieux les yeux de Chimène ; par nos patrons, par nos mères, par nos enfants, par nos psy.. Bref, par tous ceux qui nous voient courir dangereusement vers le précipice en nous applaudissant.

Et rouler aussi — et peut-être surtout — par nous-mêmes qui avons bien voulu nous laisser avoir. Et qui cultivons jusqu'au paroxysme toutes ces vilaines rimes en isme · perfectionnisme, narcissisme, jusqu'au-boutisme. Toujours plus, toujours des défis, des enjeux. Nous voulons gagner sur tous les tableaux, être sublimes en tout. Normal qu'à la longue on s'essouffle.

Et qu'on craque. Honteusement. Mais souvent. Parce que trop c'est trop. Et que même Tarzan dans sa jungle s'emmêle parfois les pieds en voulant attraper plusieurs lianes à la fois. Epanouies, certes, et c'est ce qu'on souhaitait. Mais aussi crevées, ratissées, aplaties, nases. Et coupables. Toujours. D'en faire trop ou pas assez. De rater quelque chose ou de ne rien rater.

Pouce, on souffle

Ras-le-bol d'être tout le temps celles qui assurent Ras-le-bol de tout porter à bout de bras comme les Hercules de foire. Ras-le-bol de ne penser à nous qu'en fonction du plaisir qu'on donnera aux autres. Ras-le-bol d'être si performantes que tout le monde prend l'habitude de se reposer sur nous. De foncer sans jamais appuyer sur la pédale du frein. D'être les dindes d'une farce qui s'est jouée sans nous. On a cru briser nos chaînes, on n'a fait que les consolider. Ras-le-bol enfin d'être des SuperWomen, super en tout sauf pour nous-mêmes. Le bonheur est dans le pré ? A force de courir, on l'a dépassé.

Oh, nous ne sommes pas *vraiment* malheureuses. Après tout, le bien-être est partie intégrante de notre contrat passé avec la réussite. Mais avons-nous seulement le temps de le savourer ?

D'accord (et j'entends déjà hurler toutes celles qui n'échangeraient pas une seconde de leur liberté nouvelle contre deux barils d'existence façon Mère Denis), la vie nous est par certains côtés bien plus facile qu'elle ne l'était il y a seulement vingt ans. On n'a pas vraiment de quoi se bâtir un mur des Lamentations. Tout juste un petit muret. Sûr que nous sommes des privilégiées. Le travail nous donne outre d'irremplaçables satisfactions intellectuelles et morales, l'autonomie, l'indépendance, le nécessaire vital et le superflu, ô combien indispensable.

Car entendons-nous bien. Ce ras-le-bol qui fait qu'on en a assez d'assumer une demi-douzaine de vies à la fois ne signifie nullement qu'on veuille baisser les bras. Une chose au moins est claire : NOUS NE RENTRERONS JAMAIS A LA MAISON. La vie à l'extérieur est notre deuxième poumon. Qu'on débranche, et c'est l'asphyxie.

On voudrait simplement un peu de temps à nous, sans efforts, sans contraintes. On voudrait quelquefois pouvoir dire : « Je ne joue plus. Pouce. J'ai envie de souffler. » On voudrait cesser d'être le point de mire, redescendre du piédestal où nous nous sommes placées. En bref, qu'on nous fiche la paix... Ne plus être des Femmes Exemplaires, mais de simples Humaines.

Comme tout le monde. Avec nos défauts et nos faiblesses Ne pas se sentir rabaissées quand on cale. Avouer sans frémir qu'on ne peut pas tout faire. Et que déjà on en fait bien assez. Rester ambitieuses mais à notre mesure, le monde n'est que trop rempli de rayeurs de parquets. Prendre le temps de vivre, parce que la vie est courte et que personne n'est parfait.

Mais c'est pas demain la veille de l'avant-veille que nous y parviendrons. Si nous y parvenons.

Les lignes qui vont suivre sont un constat amusé et lucide d'une situation si explosive qu'elle risque un jour de nous éclater au nez. Amusé, car il n'y a pas de quoi pleurer. Tout juste grincer des dents. Lucide, car ne nous leurrons pas. Tant que nos hommes n'y mettront pas (beaucoup) plus du leur, tant que nous voudrons tout courir à la fois, nous les SuperWomen, nous aurons encore de beaux jours (à râler) devant nous.

PREMIÈRE PARTIE

SuperWoman,
c'est vous, c'est moi

I

Des SuperWomen par milliers

> « Je veux tout, je veux tout réussir. Je suis atteinte de cette frénésie qui frappe toutes les femmes aujourd'hui : réussir son couple, l'éducation de ses enfants et son métier. Et ce qui m'étonne encore chez les femmes c'est qu'elles finissent par y parvenir... »
>
> France GALL, *Match*, mai 1987.

SuperWoman, cette femme de rêve ? C'est vous, c'est moi. Enfin, presque... Enfin, on essaie. C'est Linda, 34 ans, avocate, 2 enfants ; Isabelle, 33 ans, éditrice, 3 enfants ; Geneviève, 42 ans, chef d'entreprise, 3 enfants ; Anne, 36 ans, journaliste, 3 enfants ; Valérie, 24 ans, public-relations, 2 enfants ; Chloé, 38 ans, productrice, 7 enfants ; Françoise, 34 ans, contrôleur de gestion, 2 enfants ; etc.

Des leaders, des turbo, des dynamiques, des atomiques, dont les 20 milliards de cellules nerveuses carburent à la vitesse grand V d'un bout à l'autre de l'année (sam. dim. et fêtes comprises) pour harmoniser avec brio leurs demi-douzaines de vies respectives. Des battantes qui à leurs bas-bleus accrochent des porte-jarretelles en dentelles et accordent sans sourciller perfecto et talons hauts, bassines de confitures et lecture du *Finan-*

cial Times. Des parfaites, carrossées comme Raquel, machos comme Rambo, sexy comme Tina Turner, cultivées comme Dumézil, pédagos comme Maria Montessori, aux crocs plus acérés que ceux de Tapie. Des boulimiques qui dévorent avec un formidable appétit tout ce qui se trouve à portée de leurs jolies mâchoires : la Vie et ses Accessoires. Des qui ne veulent rien lâcher, tout concilier. Des qui ont biberonné *Le Deuxième Sexe* et la suite et qui ont naturellement décidé de TOUT mettre en pratique pour réussir leur vie.

Car SuperWoman veut TOUT. Comme dans les pubs. Le beurre et l'argent du beurre. La perfection dans tout ce qu'elle touche. La vie privée et professionnelle. L'autonomie et l'épanouissement. Le risque et le confort. La réussite et le bonheur.

Résumons brièvement. Un boulot cré-a-tif et passionnant (et les horaires cinglés qui vont avec), un mec génial et amoureux (conversations de haut vol dès le p'tit déj et jamais un poil superflu), des enfants adorables et éveillés (surtout à une heure du mat' quand tout le monde dort), une maison raffinée (penser à changer la moquette et réussir divinement la pintade aux coings), un look sans accrocs (à l'aise dans un vieux jean comme dans une jupe entravée), des petites mains de fée (avoir toujours en train un ouvrage ou un tricot et repeindre soi-même la chambre des enfants), une vie culturelle chargée (aimer Jean-Jacques Annaud ET Francis Veber, Marguerite Duras ET San Antonio, le musée d'Orsay ET le Palais des Sports), un corps de princesse en maillot (remplacer le sandwich-gâteau-coup de rouge du déjeuner par un cours de gym-carottes vapeur-badoit)*...

SuperWoman, c'est ça et bien plus encore. Une femme pressée, dans tous les sens du terme, dont la course quotidienne contre la montre relègue Alain Prost et ses vroom-vroom au rang d'handicapé moteur. Une pro du dépassement (de soi) qui met la barre si haut qu'elle finit parfois par la prendre dans la figure. Une image crée à la force de ses poignets, derrière laquelle elle galope, sans souvent réussir à la rattraper. Ou à quel prix...

Il faut s'or-ga-ni-ser

Organisation, c'est le mot clé, le truc en béton avec lequel SW jongle sa vie, passant d'un rôle à l'autre avec la maestria d'un Frégoli. Maman et putain, patron et bobonne, intello et midinette : SW, femme à part entière, est aussi une femme entièrement en parts. Une bouchée pour Doudou, une bouchée pour Minou, une bouchée pour le Boss. Pas de danger qu'il y ait des restes. Ce n'est plus la femme mystifiée, c'est la femme morcelée. La femme coupée en morceaux qu'autrefois

* La SW modèle classique sport vit en couple, légitime ou pas, possède quelques enfants de 0 à 16 ans (les siens plus éventuellement les week-ends ceux du premier mariage de son conjoint). Bien évidemment, les divorcées, veuves, célibataires, etc. avec bambins à charge et pères inexistants (les je-ne-paye-pas-la-pension) ou trop encombrants (les je-milite-pour-la-condition-masculine) et qui en plus de ce quotidien-là, lourd à gérer, naviguent à vue entre M.S.T, Sida et autres rencontres du troisième type, pour se retrouver un SuperMec, celles-là méritent sur l'échelle de Richter de la SuperWoman un des barreaux les plus hauts. Quant à la SuperWoman sans enfants, le modèle existe, parfaitement homologué : elle reporte sur le boulot plus mille autres activités annexes (politique, jardinage, animaux, œuvres de bienfaisance, amants, etc.) le temps « gagné » sur le maternage.

on exhibait dans les cirques. Celle dont la vie est en permanence un parfait numéro d'équilibriste

C'est un robot à dix bras articulés et un cerveau central, mais dont les logiciels se mélangent parfois les circuits. Normal quand on a autant de vies qu'elles finissent par se bousculer Penser à sa liste de courses en réunion et préparer sa conférence dans les allées d'Euromarché : alimentaire, mon cher Watson. Téléphoner entre deux rendez-vous pour vérifier que Victoire ne tousse plus et qu'Alexandre bosse sur sa disserte au lieu de regarder ce feuilleton débile sur la 5 : un automatisme accompli sans même y penser.

Yuppie, frumpie, même combat

Plaisir (confitures de chez Hédiard...) + *Efficacité* (...commandées par Minitel) : c'est l'équation *sine qua non* de la SW. Une formule — magique — appliquée à tous les domaines de la quotidienneté. Epicure revu par Speedy Gonzalès : un mode de vie commun à toute une population des deux sexes, qu'on la baptise *Yuppie* (jeune urbain professionnel), *Frumpie* (ex-gaucho grimpant l'échelle sociale) ou *Me Generation*, la génération du *moi-je*, moi d'abord.

Quels qu'aient été sa trajectoire et ses combats passés, ex-militante féministe, ancienne gauchiste, ou jeune fille de bonne famille saisie par le démon de la réussite, SuperWoman aspire aujourd'hui à l'épanouissement. Elle ne revendique plus, elle s'accomplit. En politique, elle n'est ni à droite, ni à gauche, ni même au centre : elle est partout. Groupie de Chirac ou fan de Fafa, elle sait oublier toutes querelles partisanes pour poser, le moment venu, les questions de fond

Si dans un dîner en ville, la jeune attachée de presse d'un ministre libéral discute avec une énarque socialiste, elles ne vont pas en cinq minutes se convaincre de changer le monde et leurs bulletins de vote. Elles en resteront dans le meilleur des cas à la cohabitation bon teint. Mais qu'elles sympathisent plus avant et elles vont finir, tôt ou tard dans la soirée, par aborder les *vrais* problèmes de société. Ceux qui trouvent si vite leurs solutions sur le papier des programmes politiques, mais si laborieusement dans le quotidien de SuperMadame-tout-le-monde : crèches, frais de garde, nounous, supermarchés par téléphone... Bref, l'intendance, qui, si elle ne suit pas comme sur des roulettes, fait dérailler impitoyablement la belle mécanique. Une haute fonctionnaire en panne de nounou avec mouflets varicelleux et NouveauPère en réunion perd 80 % de sa valeur marchande.

Des SuperMecs au compte-gouttes

Et les hommes dans tout ça ? Ils ont pris leurs distances. Dans le meilleur des cas ils « aident », nous laissant la structure. Comme si penser aux enfants, aux menus ou à la femme de ménage était inné chez nous (chez eux, quoi qu'on en dise, l'acquis est plutôt faible).

Au mieux, ils téléphonent vers vingt heures avant de partir du bureau pour proposer de rapporter le pain (et ils s'en trouvent tellement héroïques, qu'ils demandent qu'on les admire). Au pire, ils rentrent chez eux après dix heures d'absence comme si de rien n'était. Une fois pour toutes ils ont cloisonné leurs existences : boulot toute la journée, papas vingt minutes le soir et le week-end, amants quand on s'écroule de sommeil, maris quand ils se noient sous les détails pratiques. Nous, nous sommes tout cela et plus encore, mais en même temps, sans jamais séparer. Certains jours d'ailleurs entre dehors et dedans les pièces du puzzle s'emboîtent difficilement. Surtout au travail qui nous prend l'essentiel de notre existence. Et où, pour faire cohabiter ces doubles, triples, voire quadruples vies nombreuses et variées, nous mentons honteusement, comme si nous vivions quatre adultères par semaine

II

Paraître ou ne pas être

Jeunes, belles et en pleine forme

Entrer dans le club des SuperWomen ? Facile. Il suffit de remplir deux conditions nécessaires et absolues.

1° La santé. Il faut avoir la pêche, la frite, la patate, de l'énergie à revendre, du tonus, du pep's. Dormir quatre heures par nuit, juste pour se recharger. Jamais de vague à l'âme, de doute, de coup de mou. Et même en cas de — très brève — déprime, affirmer que tout va pour le mieux. Pensez donc : le sort d'une entreprise plus celui d'une famille et de quelques annexes est tout entier entre nos mains. La grippe, le fond du lit pour cause de flémingite aiguë sont autorisés, mais du bout des lèvres. Comme le droit de grève : en soupape de sécurité lorsque le flot-légitime-des-revendications menace de tout faire sauter

2° La jeunesse. Ou ce qui y ressemble. Y a-t-il une limite d'âge, pour les SuperWomen ? Oui et non. On les rencontre, en gros, de vingt ans à cinquante. Un peu plus, si elles ont encore des enfants dans les pattes. (Car aujourd'hui tout se mélange Certaines mères d'écoles maternelles à la quarantaine procréatrice ont déjà l'âge d'être des mamies, et beaucoup de grand-mères materment leurs propres nourrissons avec ceux de leurs filles. Sans parler évidemment du nouveau modèle qui fait déjà grand bruit : la grand-mère porteuse.) Un peu moins si à dix-huit ans, elles ont déjà créé leur fabrique de caleçons. Mais leur Super Valeur n'attend pas le nombre des années. A vingt ans comme à cinquante, elles doivent impressionner par leur aspect toujours juvénile. Paraître de plus en plus jeunes, même (et surtout) si on sait leur âge. « T'as vu Annie ? Formidable ! A cinquante balais, elle a l'air d'être la sœur de sa petite-fille » est mieux noté que l'inverse : « Elle dit qu'elle a trente ans, mais elle a flirté dans sa jeunesse avec mon père. »

Mamies Doll et Mamies Nova

Pas question évidemment d'éliminer du clan SW la tranche d'âge supérieure, les SuperMamies ou mémés bolides, qui elles aussi carburent le pied sur l'accélérateur. Ces nouvelles grand-mères, à mille milliards d'années-lumières des bonnes vieilles d'autrefois fripées comme des pommes et douces comme du sirop.

Soit dit en passant, il faut rendre un vibrant hommage à la mamie-gâteau. Toujours disponible pour un tricot, un baby-sitting le 31 décembre ou un dépannage oreillons au pied levé, cette fée du logis est, lorsqu'elle existe, l'un des piliers de l'existence de SuperWoman. Malheureusement l'espèce est en voie de disparition. Ces grand-mères d'antan ou maman bis qui après neuf enfants, plus fraîches que de jeunes épousées, avaient encore la force d'élever une flopée de petits et d'arrière-petits-enfants. En les marquant à jamais de la nostalgie d'une certaine confiture de courge barberine, de courses échevelées entre cousins dans son jardin, du goût inimitable de sa pintade aux choux, de sa tendresse généreusement distribuée avec le chocolat du goûter, des histoires racontées le soir avant de se coucher. Ces grand-mères-là, donc, ne se trouvent plus que dans les livres, les feuilletons et la pub (sous les traits de Mamie Nova et de Grand-Mère Café).

Pour bien montrer que la race se perd, on leur a inventé une fête spéciale copiée sur celle des mères. Et des petits malins ont même créé des agences (ou réserves) pour protéger les rares qui restaient sur la piste. Et les mettre à la disposition de qui en manque, moyennant une modique somme pour leur location. « Mémés du mercredi » et autres « Bonnes-mamans poules », ces aïeules mercenaires offrent leur cœur et leur patience légendaire à des dizaines de pauvres petits orphelins de grand-mères. Car leurs vraies mamies à eux, elles bossent.

Celles-là, plutôt sexygénaires que vieilles dames indignes, toutes ces Mamies Doll vrombissantes, qui enseignent à la fac, dirigent leurs entreprises, s'habillent chez Kenzo, pilotent leur Supercinq comme Laffite soi-même et réussissent mieux que personne la confiture de cassis, pourraient très bien postuler au rang de Super-Mamies. Sauf qu'elles ne sont plus candidates. Leurs propres enfants une fois grandis, une fois partis (quand ils acceptent de décoller), elles se retrouvent avec enfin du temps à elles et peuvent se permettre, avec quelle volupté, de jouer pour une fois les (gentils) monstres d'égoïsme. Les petits-enfants, elles adorent, elles en sont folles (ne dites pas gâteuses, ça leur flanque le bourdon), mais à leurs heures. Qui ne sont pas forcément les bonnes. Leur liberté commence là où se termine la nôtre. « Non, j'ai un séminaire, je ne peux pas garder Julien mercredi », ou « Excuse-moi, ma chérie, mais l'anniversaire de Lolotte tombe le jour de mon tournoi de bridge ». A leur décharge il faut bien reconnaître que lorsqu'elles ont décidé de s'occuper des chers trésors, elles s'y donnent à fond. La qualité des rapports prime de très loin sur leur quantité.

Au fond c'est bien de leur faute si on fabrique moins d'enfants. Elles ont profité sans scrupules de leurs mères, de nos mamies gâteaux disponibles sur commande. Nous, nous n'avons plus personne sur qui nous appuyer. Quand on annonce fièrement (et quand elles consentent) « C'est ma mère qui les garde », nos copines nous regardent avec un air d'envie, comme si nous possédions la poule aux œufs d'or.

Mais quelle SuperWoman aurait le front de jeter la pierre à celle qui l'a façonnée telle qu'elle est aujourd'hui ?

La plus belle dans son miroir

En attendant ce temps (béni) où on deviendra Super-Mamies à notre tour, on est encore, et pour quelques années, des SuperWomen en puissance. Jeunes et belles. Im-pé-ra-ti-ve-ment. Pour préserver cet état hélas éphémère, tous les moyens sont bons. Et si le marathon de SuperWoman commence d'abord par elle-même, ce n'est pas seulement par narcissisme exacerbé mais parce que le look, l'image, l'apparence, sont aujourd'hui un des passages obligés de la réussite.

Ex-fortes en thème boutonneuses de notre adolescence devenues à la force de leur matière grise chefs de service aigres et démodées, profs de maths à l'éternelle jupe informe portée du 1er janvier, au 31 décembre ou économistes pas si distinguées perdues sans leurs lunettes à triple foyer : tous ces spécimens antédiluviens sont au musée depuis un bail. Même Thatcher, dans son genre fait un léger effort. Même Laguillier est allée se rhabiller. Même Bouchardeau a fini par se coiffer. La mèche qui traîne, la peau tristounette, l'aisselle velue, l'ongle déglingué, les kilos qui s'accumulent sous prétexte qu'on ne peut pas tout faire : exit, out, du balai. Pas le moindre droit à l'erreur ni au négligé. Même passager. Même pour cause de fatigue ou de vieille déprime (le jour vieux-chandail-jean-fatigué tombant, comme par hasard, avec le rendez-vous impromptu mais important de l'année).

SW doit avoir visage frais, mains soignées, maquillage très léger (rajeunissant et plus rapide) sauf dans les grandes occasions, taille mannequin (surtout l'été), cheveu toujours propre et toujours bien coiffé, de préférence court (quoique le chignon tendance Marie-France Garaud jeune refasse une percée redoutable dans les fantasmes masculins. Avec ce rêve tellement plan-plan de la chevelure stricte, sauvagement dénouée).

Le bon look

Première étape et non des moindres, la panoplie vestimentaire. Aux Etats-Unis, les SW qui se respectent se partagent en deux camps. *Yuppies* (cadres, chefs d'entreprise, Executive Women) et *trendies* (les chébrans, créatives en tout genre, pub, mode, journalisme — sauf politique, déco, cinéma, photo). Yuppies, elles affectionnent le style BCBG, le tailleur strict genre Chanel, la petite robe de soie qui vaut la peau des fesses et même le costume-cravate-chemise oxford de chez

Brooks Brothers, où seule la jupe (droite et surtout pas mini) indique vaguement le sexe auquel elles appartiennent. Trendies, elles préfèrent la mode et la fantaisie, ce que leurs jobs non seulement autorisent mais exigent.

En France, tout se joue en finesse. Après tout, nous avons inventé l'élégance. CareerWomen ou pas, la féminité prime. Les yuppies les plus strictes suivent la mode même de loin. Et la liberté des trendies est toute surveillée, les codes subtils du milieu ambiant reléguant au rang de plouc, les audacieuses qui oseraient les braver. Oui au jean, mais étroit du bas, large du haut et à boutons. Ok pour les baskets, l'été, mais de la bonne couleur (ou pour les rythmiques noires en tissu à 30 francs, portées avec un caleçon « Comme des garçons » qui en vaut cent fois plus). Va pour la doudoune (duvet d'oie) de moniteur de ski, portée par −15° sur un petit tailleur. Bref, un décontracté savamment structuré. En fait, la SW doit savoir doser. Exhiber le bon look, à l'instant ad hoc. On ne s'habille pas de la même façon pour une remise de médailles, une visite de chantier, un après-midi square, une virée au Palace ou une soirée à l'Opéra. Toute bonne SW doit passer sans même y penser d'Arthur et Fox à Naf-Naf, de Gaultier à Prisu, d'Agnès B au soldeur du coin. Question de moyens et d'opportunité. Trouver son équilibre entre la *Fashion Victim* (mal vu, être trop mode, c'est être « trop », ce qui annule l'effet recherché) et le clacissisme bon teint (qui finit par donner mauvaise mine).

Résultat des courses : tout bon si on est pro. Tout faux si on se plante, si on tombe dans l'excès. Belle mais pas (trop) sexy au travail. Star mais pas (trop) allumeuse le soir. Décontract' mais pas (trop) négligée le week-end. Bref, décoiffante (sans être hirsute), épatante (sans faire de l'esbroufe), en jeter (sans se faire ramasser).

Tout cela, qui nécessiterait presque un diplôme

d'Etat, doit se faire, hop, dans la foulée. Comme si ces choses-là — l'éternel féminin a décidément la peau dure — étaient acquises d'avance. On est toutes nées c'est bien connu en sachant marier le rose et le bleu, le jersey et la flanelle, le bon accessoire avec le pull assorti. Droit à l'erreur ? Quasiment nul. Mais laquelle d'entre nous n'a jamais craqué pour les chaussures trop dorées ou le manteau trop violet ?

Il faudrait être aussi chic et subtilement « raffinée » que ces bourgeoises oisives qu'on rencontre par deux à Saint-Germain-des-Prés et dont l'occupation fondamentale de la journée est d'assortir leur dernière panoplie Rykiel aux escarpins lézard de chez Maud Frizon. Elles, elles réfléchissent des heures sur la moindre nuance (du coup elles en font des tonnes).

Nous, pas le temps d'hésiter. Et clic, en double file, j'achète en cinq secondes la bonne paire de chaussures qui ira avec tout. Et pof, entre deux audiences, j'investis dans le bon tailleur chic, féminin, sérieux mais amusant, qui fera la saison. Et zou, à l'heure du déjeuner je craque en un clin d'œil pour la guêpière satin ou le soutien gorge de soie taupe et son petit slip coquin. (Pour SE faire plaisir. Car pour les 5 à 7, le temps est trop compté).

Acheter le samedi ? Ça c'est hors de question. D'abord parce qu'on a mille autres choses à faire (voir chapitre week-ends)... Ensuite parce que les « achats fringues » avec poussette et petits (ou grands) monstres se terminent très vite en cauchemar. Même et surtout accompagnées du cher et tendre un brin grognassou, dont la présence joint l'inutile (surveiller les enfants) au désagréable (donner SON avis sur ce qu'ON achète).

Désopilant le ballet des fiancés et maris le samedi chez Agnès B, où l'unique cabine d'essayage bourrée comme le métro à six heures laisse parfois échapper une ou deux clientes qui s'admirent à l'air libre. *Le Monde* ou *Libé* à la main, un œil très vague sur la progéniture qui joue à Zorro avec les cintres, ILS attendent, résignés, qu'ELLES aient fini de TOUT essayer. En relevant de temps en temps furtivement la tête pour apprécier en connaisseurs une paire de jambes dépassant d'une mini en tricot, une paire de fesses moulée dans un caleçon ultra collant : celles de toutes les femmes. Sauf bien sûr de la leur.

Comment peuvent-ils comprendre nos efforts obstinés pour être les plus belles, eux qui s'habillent deux fois par an, en soldes, en comptant sur nous pour peaufiner les détails. (Car c'est nous encore qui, comme pour nos enfants, nous occupons d'assortir leurs cravates et leurs chaussettes, achetons leurs caleçons, conseillons chaque pièce de leur habillement. Résultat déprimant : ils sont souvent plus élégants que nous). Comment peuvent ils admettre (et ils ne l'admettent pas) que nous nous ruinions en crèmes pour la peau (l'hydratante à cinquante sacs, une merveille surtout pour le moral quand la première ride n'en finit pas de se multiplier), en coiffeur (un ami, presqu'une seconde maman), en pédicure, manucure, épilations de tous poils ? Vétilles futiles certes, mais incontournables. Car c'est pour la bonne cause que nous nous acharnons. Ils nous veulent superbes. Nous le voulons aussi. Nous le sommes (à peu près). Au prix de quels efforts… Sans cesse renouvelés.

Concurrence déloyale

Tous ces petits problèmes occuperaient n'importe quelle femme qui se respecte une bonne moitié de sa vie. Nous, nous devons en plus lutter avec la concurrence — honteusement déloyale — de ces femmes au foyer qui, les pauvrettes, n'ont que *ça* pour faire vivre leurs temps morts. On les rencontre parfois dans les dîners en ville, l'œil brillant, le cheveu impec', la bouche rouge et bien pulpeuse, le teint dispos, la jupe mode de l'année et le pull qui va avec.

Alors que nous, pauvres cloches, sorties du boulot sous la flotte, à sept heures et demie, en ayant subi une journée éprouvante, arrivées à la maison en cata, après avoir embrassé les enfants, raconté l'histoire à la bourre (en plus, impossible de sauter un mot : même quand ils ne savent pas lire, ils la connaissent par cœur), attendu la baby-sitter à qui on tend un listing de recommandations (« Si la maison brûle appelez les pompiers », « si Jérémy tousse le sirop est sur le buffet »), on n'a que dix minutes, montre en main, pour le rush salle de bains-tenue chicos-maquillage dame fatale. Sous l'œil guoguenard du mec qui en regardant les nouvelles du soir se demande (et ne nous l'envoie pas dire) pourquoi nous sommes toujours en retard ?

« S'il me fait remarquer une fois de plus en rentrant combien Marie-Laurence était en beauté *ce soir*, et s'il ajoute que son canard aux pêches était *vraiment* très bon, je le tue et je divorce après. Evidemment, elle ne fout rien de la journée, elle. »

L'autre variante, tout aussi exaspérante, étant : « Tu ne trouves pas que Marie-Laurence a maigri ? C'est fou ce que ça lui va bien. » Erreur évidente de diplomatie, prompte à engager sur-le-champ le tir sans sommations. Le point sensible de toute femme, SuperWoman ou non, étant bien évidemment les petites boules de graisse placées aux endroits stratégiques de son individu. En hiver au moins, nul ne devrait mentionner devant nous, même du bout des dents, ce sacro-saint régime... Qu'on aurait, nous, toutes les excuses du monde pour ne pas suivre, tant il nous faut d'énergie pour le reste. Sans parler de la gym obligatoire (et de nos absences bidon une fois sur deux, pour cause de flemme, comme quand on allait en classe), de l'aérobic souriant, du stretching décontracté, de la danse, du vélo, du tennis, du yoga, du jogging, de la musculation. Ffff... Bref, de tous ces exercices infâmes qu'on s'impose en souriant pour muscler nos ventres (la nature a horreur du bide), affiner nos rondeurs, fuseler nos cuisses. Et mettre nos corps en valeur, puisque culte il y a.

Car sur la plage entre une SuperWoman à la fesse triste et molle et une minette analphabète aux seins qui tiennent tout seuls, devinez laquelle remporte le plus de suffrages ? Si vous répondez « la première », retournez case départ.

III

Executive Women

« C'est par le travail que la femme a en grande partie franchi la distance qui la séparait du mâle ; c'est le travail qui peut seul lui garantir une liberté. »

Simone DE BEAUVOIR,
Le Deuxième Sexe, Gallimard, 1949.

C'est au burlingue, au turf, au turbin, que de neuf heures du mat' à sept heures du soir, Executive Woman est en pleine action. Executive Woman c'est SuperWoman sur le terrain même où sa personnalité, comme cent fleurs, s'épanouit. Dans la carrière. Comme les dix millions de femmes actives en France. Et surtout comme les plus vernies d'entre elles. Celles pour qui le travail — ni obligation, ni pensum subi et peu valorisant — a dépassé le stade de la libération pour devenir partie intégrante d'elles-mêmes.

Avocates, obstétriciennes, politologues, physiciennes, productrices, plombières, gendarmes, œnologues, conductrices de poids lourds, cosmonautes... A chaque fois un petit pas pour nous, un grand pas pour l'humanité. Sages-femmes hommes, femmes-grenouilles, self-made-women, femmes d'Etat, on a tout mélangé. Le boulot est désormais comme les anges, asexué. Toutes les voies barrées, on les a empruntées. Toutes les portes fermées, on les a enfoncées (ou presque, les plus cadenassées étant celles de la politique). Des années et des années d'efforts titanesques nous ont appris qu'on pouvait faire aussi bien que les hommes. Puis mieux que les hommes. Puis mieux tout court. Sans autre échelle de valeurs à grimper que la nôtre. Il est vrai que si nous sommes moins nombreuses que les hommes à occuper des postes clés, c'est qu'on s'y est mises il y a deux décennies à peine. Mais le chemin parcouru en vaut déjà largement la chandelle.

Des femmes au foyer qui travaillent

Ça, on s'est bien battues. Comme des chefs. D'abord on a voulu montrer qui on était et de quoi on était capables. Puis ensuite on a encore ramé pour rester là où nos efforts héroïques nous avaient amenées. Et on continue encore. Notre lutte est loin d'être finale. « Il leur a fallu presque deux siècles, écrit *Elisabeth Badinter**, pour faire admettre à leurs pères et époux qu'elles étaient des hommes comme tout le monde. »

Des hommes comme tout le monde ? Pour ça oui. Et c'est à ce titre que nous sommes (presque) acceptées tout en haut de l'organigramme. Le drame c'est que nous sommes, en plus, des femmes comme les autres. Mais, et c'est là où ça coince, quel que soit notre job, nous ne devons sous aucun prétexte le montrer. Au contraire, il nous faut surmonter ce « handicap » de base par des efforts disproportionnés.

Pour réussir nous avons mis les bouchées doubles. Nous nous sommes dépensées sans compter. Et, malgré tous les obstacles, nous y sommes arrivées. L'ivresse des

* *L'un est l'autre*, éd. Odile Jacob, 1986.

sommets, on y a goûté. Et on aime. Et on aimerait bien plus encore s'il n'y avait pas toujours dans un coin de nos têtes l'impression insupportable de nous être fait piéger.

Betty Friedan, la féministe pure et dure de *La Femme mystifiée* (c'était il y a vingt ans), reconnaît aujourd'hui dans *The Second Stage* (*La Seconde Etape*) : « Elles veulent (elles, c'est nous) réussir leur carrière selon des commandements édictés par des hommes, qui eux étaient déchargés par leurs épouses de tous les détails de la vie pratique. »

Nous, SuperWomen, nous n'avons pas cette chance Ce qu'il nous faudrait, au fond, c'est une épouse.

Car la seconde étape, c'est pile ce que nous vivons. A la fois fières de notre réussite mais jonglant avec les contraintes spécifiques qu'elle comporte pour nous. C'est-à-dire, en même temps générales et cantinières, chefs de rayon et ménagères. Après l'enthousiasme délirant des premières années de l'indépendance, nous sommes tombées tête baissée dans ce piège à double détente, si on peut employer ce dernier mot à notre propos. Nous sommes devenues des femmes au foyer qui travaillent. (Même si nous n'avons plus, dans l'ensemble, à assumer la plupart des corvées ménagères, nous devons sans faillir superviser l'intendance.) Et nous cumulons sans nous plaindre.

Embrasser la carrière

Au boulot, aucun problème. Dès qu'il a fallu y aller, on a retroussé nos manches et on a foncé. Tout de suite, on s'est soumises au modèle dominant : en imposant notre virilité. A nous avec délices les agendas archibourrés, les réunions pour un oui pour un non, qui commencent en principe lorsque tout le monde s'en va, les dossiers le week-end (et souvent le soir).

A nous aussi les staffs de créatifs à briefer, les services de trente fonctionnaires à diriger, les entreprises de mille ouvriers à gérer. Efficaces, dures à la tâche, compét', ambitieuses, on n'a eu de cesse que d'être les meilleures. A ce titre et à celui-là seulement, en douce, nous avons bâti notre place au soleil.

Bien sûr, tout n'a pas été simple tout de suite. Pour nous éliminer, « ils » ont tout essayé. Nous rappelant sans cesse que notre rôle était d'abord au foyer, que comme les immigrés nous prenions le travail d'honnêtes travailleurs, que nous étions des salopes, des mères dénaturées. Les bâtons dans les roues (« Non, pas Mme Durand comme chef du contentieux : il n'y a jamais eu de femme à ce poste »), la mauvaise foi (« Je n'engage pas de femmes, elles sont tout le temps absentes »), les brimades (« Vous sortez d'HEC ? Bon, mais vous savez taper à la machine ? »), on n'en a pas manqué. Le baptême du feu, on l'a pris dans la tronche.

Une fois dans la place on a tout essuyé. Les « gentilles » peaux de bananes (« Le dossier Dubois ? Inficelable, mais vous vous en tirerez »), le paternalisme exacerbé (« Mon petit, c'est trop dur pour vous, je n'aurais jamais dû vous confier ce rapport »), le droit de cuissage compris dans le contrat (« Pour votre avancement, on en reparle ce soir autour d'un drink ? »), la misogynie primaire (« Ce n'est pas une femme qui me dictera ce que je dois faire ») et même secondaire (la pire) (« Sans être antiféministe, il faut bien reconnaître qu'il y a certaines choses que vous les femmes ne saurez jamais faire »). On s'est accrochées sans rien dire, traçant la route à nos cadettes qui se sont par la suite engouffrées dans nos brèches.

Peu à peu cependant, tout est rentré dans l'ordre. Ou à

peu près. « On » nous a acceptées. Bien obligés, il n'y avait pas d'alternative. Aujourd'hui nous pouvons être fières. Nous créons, dirigeons, commandons exactement comme les hommes le font. Avec eux, comme avec nos consœurs, les rapports sont hiérarchiques (« Monsieur Dupond vous me faites un p'tit café s'il vous plaît ? »), courtois (« Si je peux me permettre, cher Eric, ce que vous avez écrit là, c'est vraiment de la merde ») ou rivaux (« Ce Lucien Durand, j'aurai sa peau »). La loi de la jungle et ses codicilles, nous l'avons parfaitement intégrée. Nous savons être vaches, rosses, vipères, tigresses, requines avec ceux qui nous font face. Humaines quoi. Comme des batraciens grenouillant dix heures par jour dans le même bocal qui s'aiment et se le coassent ou se tirent dans les pattes pour grimper tout en haut les premiers.

D'accord tout n'est pas rose, le monde du travail n'est pas jonché de fleurs. Il faut savoir jouer du couteau pour survivre. Mais nous y survivons. Mieux, nous nous y épanouissons.

Les accros du boulot

Il faut le reconnaître : on s'est bien éclatées (on revenait de loin). Et on s'éclate encore. Tous nos petits joujoux nous épatent toujours même si on a eu le temps de les assimiler. Le pouvoir nous fascine. Et tous ses accessoires. Le grand bureau. La secrétaire. La ligne directe. Les déjeuners d'affaires dans les grands restaurants (on ne dira jamais assez la jouissance suprême qu'est devenu pour nous le règlement de l'addition. La note de frais, c'est le pouvoir au bout du chéquier, l'acte macho repris à notre compte). La grosse bagnole dont on a rapidement su changer les roues toutes seules. Les taxis affaire. La considération. Les voyages éclair…

Prendre un avion comme on prend le métro pour aller le matin négocier à Milan et revenir sur la ligne du soir en tapant, en plein vol, pour gagner du temps (sur notre PC* portatif), le rapport qu'on rendra le lendemain à l'aube… Comme dans les pubs pour déodorant, cette vie super-active nous apporte la fraîcheur. L'évasion, mieux que dans les romans du même nom.

La p'tite dame assise dans la salle d'attente qui regarde par-dessus *Elle* ou *Libé* (nous achetons les deux) si le bel Italien va prendre le même Airbus, c'est nous. Un peu frime un peu sérieuses, encore — un peu — bluffées par nous-mêmes, mais toujours (première) classe.

Avec le pouvoir, il y a aussi l'argent. Le fric nous intéresse. Même s'il n'est pas pour nous le nerf principal de la guerre, même si nous n'en sommes pas encore tout à fait à l'égalité des salaires, s'en passer nous serait aujourd'hui difficile. (D'ailleurs nous connaissons notre valeur au zéro près. Et nous nous négocions au plus offrant, comme un homme.) Quelle merveille de se dire que nous ne sommes plus seulement le revenu d'appoint, mais que nous pouvons aussi subvenir à nos nombreux besoins. Pas uniquement l'argent de poche pour se payer les clopes ou la paire de collants (le « Chéri, t'as pas cent balles ? » — ou mille ou dix mille selon les moyens du chéri en question — a proprement disparu de notre vocabulaire de base). Mais aussi les sous pour le loyer, la voiture, les voyages, l'éducation des enfants sans ramer trop durement. Savoir qu'on peut claquer la porte du domicile sans (trop) craindre de se retrouver à la rue nous a donné une force que nous ne perdrons plus.

* PC : Personal Computer, micro-ordinateur. L'accessoire survie de la SuperWoman.

Mais ce qui nous excite encore le plus, c'est gagner. Décrocher un contrat, mener rondement une affaire à son terme, aller jusqu'au bout de ce qu'on entreprend. Une enquête joliment ficelée, une plaidoirie bien balancée, la vente d'un milliard d'élastiques à l'Arabie Saoudite, la création d'une société de survêtements pour chiens ou d'une chaîne de traiteurs japonais à domicile, rien de tel pour nous faire jubiler.

En un mot comme en cent, nous aimons travailler. A nous avec bonheur les nuits blanches passées à équilibrer le budget de l'usine de chaussettes, les heures sup' dépensées sans compter pour écrire le rapport commandé en urgence, les « charrettes » qui nous font turbiner sur les chapeaux de roue. A nous le stress (créateur), la fatigue (toujours saine), les angoisses permanentes (« un p'tit valium, chef ? »), les cauchemars qui reviennent (« j'ai encore rêvé de mon augmentation »).

Le ver est dans le fruit. Même si aujourd'hui nous frôlons « l'overdose ». « Workoholics », disent, des accros de notre espèce, les Américains qui s'y connaissent en défonce. Alcoolos du boulot, junkies des soixante heures, on ne survivrait pas sans le service export de l'usine d'élastiques, le cabinet dentaire qui nous met sur les dents, l'ambiance survoltée de l'agence de pub.

Un mois de chômage, ça va...

Qu'on nous enlève tout ça et nous nous écroulons. Car il ne faut pas se leurrer. Une SuperWoman au chômage, c'est une glace sans cornet, un baiser sans moustaches, un smoking sans nœud pap'. Un ersatz, l'ombre de son ombre, l'ombre de son chien. Et qu'on n'aille pas la bassiner avec des discours démodés. Dire que rentrée à la maison, elle fera des confitures et des gâteaux, s'occupera de sa gentille famille, et mettra même en route un petit dernier pour ne pas rester les mains vides, c'est se mettre le doigt dans l'œil.

C'est même tout le contraire qui se produit. Passé l'euphorie des premières grasses matinées, le stress naturel revient vite au galop. Dans son cas, le seul marché supportable c'est celui du travail.

SuperWoman au repos forcé est une mauvaise affaire. Elle houspille les enfants (si elle était — trop — gentille peut-être prendraient-ils la mauvaise habitude de la vouloir tous les jours à la maison ?), ne s'occupe pas plus des affaires courantes que lorsqu'elle travaillait, refuse la cuisine, le ménage (elle aurait tendance, par pure contradiction, à en faire plutôt moins) et regarde avec mélancolie son agenda désespérément vide alors qu'il était, la semaine dernière encore, désespérément plein. La déprime la saisit lorsqu'elle n'arrive pas à joindre au téléphone ses copines débordées. Si, par miracle, elle parvient à leur voler un déjeuner (dans un restau très chic, sur *leurs* notes de frais), au lieu de la bouffée d'air pur escomptée, elle dégustera plutôt la soupe à la grimace. Dès l'entrée, (*carpaccio de saumon*), c'est l'attaque en piqué. Elle doit subir, entre deux bouchées, le bureau des pleurs : « Je n'en peux plus, je bosse trop » (aussi délicat que de balancer à une alcoolo en manque : « J'en ai marre de me bourrer la gueule au champagne »). En plat de résistance (*nage de langoustine aux trois herbes*), les conseils avisés : « Tu vas faire quoi maintenant ? Ecrire TON livre ? Et pourquoi tu ne créerais pas TA propre entreprise avec tes indemnités ? »

Et bien sûr, au dessert (où SW, démolie, finit consciencieusement de se détruire aux profiterolles, pendant que l'autre, regonflée à bloc par sa propre chance, se contente d'une tisane sans sucre), l'éternelle et optimiste conclusion : « Enfin, *toi*, tu as de la chance. Prendre du recul pendant ces quelques mois et en plus être payée à ne rien foutre... Tu ne te rends pas compte. Profites-en. C'est le rêve... Allez, faut que j'me sauve, j'suis encore à la bourre. »

Le rêve ? Enfin... pas vraiment... Le foyer nous consume. Le sweet home nous étiole. Le doux nid nous ennuie. Une chose est certaine. On ne veut surtout plus rentrer à la maison. Plus jamais. Il est trop tard. Le boulot c'est notre vie. En tout cas une grande partie. Pareil que pour les hommes. Leur demande-t-on à eux d'échanger l'attaché-case contre des charentaises avant l'âge de la retraite ? La question fait sourire (le congé « paparental » a d'ailleurs fait un bide).

Même si ce retour est provisoire, on craque. D'accord, parfois dans nos heures noires, l'envie du comeback nous tenaille. Mais l'idée de tout plaquer pour être une *mater familias* avec douze petits gambadant autour d'elle (comme dans *Treize à la douzaine*) ou une de ces sublimes blondes jet-set qui voguent de milliardaires en piscines (quoi qu'elles aussi, elles brassent dur pour se la couler douce) n'effleure qu'en surface nos petits cerveaux surmenés.

Et EUX pendant ce temps-là ?

Heures noires ? Souvent. Alors, une fois pour toutes de quoi nous plaignons-nous ? Car ce n'est pas le travail qui nous mine. Parties comme nous le sommes, nous pourrions, au boulot, en faire le triple, le quadruple, sans être dérangées. Non, ce qui nous tue, ce sont les détails. Si gros qu'ils en bouffent tout notre paysage. *Détails*, c'est-à-dire tout ce foutu fatras qu'il faut bien assumer puisqu'il n'y a personne pour le faire à notre place. Et en douce. Car pour avancer dans nos carrières, il faut nous comporter comme des hommes qui, eux, ont une petite femme pour s'occuper de tout (et leurs épouses, en plus, c'est nous, les SuperWomen, femmes de Career Men... Le cercle est très vicié). Les chiffres sont éloquents : avec un enfant, SuperWoman travaille 70 heures par semaine, avec trois, 72 (avec cinq un peu plus, etc.). Les SuperPères, eux, en abattent quinze de moins.

Pour eux la vie est simple. Pourquoi diable s'embêter à la compliquer, avec des broutilles dont ils n'ont rien à faire ? Le matin, à peine franchie la porte de leur domicile, ils deviennent amnésiques. Les femmes et les enfants, dehors. Ni dieux, ni maîtresses, ni parents, ni amis. Exit tout le surplus. Orphelins. Robinsons sur leur île, entourés d'une foule de Vendredis. Rien que des Charles Dupont, chef du personnel, Marcel Martin, directeur adjoint de l'usine d'élastiques, Henri Durand, conseiller juridique. Entre l'extérieur et eux tous les ponts sont coupés.

Même le téléphone, dont ils sont si prolixes pour joindre leurs clients, reste bizarrement muet lorsqu'il s'agit de composer *notre* numéro. Ils n'appellent jamais s'ils n'ont pas un message urgent à faire passer. Et quand on téléphone pour prendre de leurs nouvelles (même à nous ça arrive, y a pas de honte à ça), on tombe sur un type tellement pressé qui bredouille : « Excuse-moi, j'ai un rendez-vous important », qu'on a du mal à croire que c'est bien le même qu'on a vu tout nu sous la douche trois heures auparavant.

Leur métier, c'est leur seconde peau, enfilée dès l'aurore et durement enlevée le soir après dix heures d'efforts. Souvent on se demande en les voyant si nets, si tranchants, si bien enracinés dans leurs augustes fonctions, comment les cadres ou les patrons dorment, cajolent leurs enfants, parlent d'amour ou le font. Tant ils ont l'air d'une race à part, d'une génération spontanée qui vit dans un bureau et ne s'acclimate pas au dehors. Les à-côté, ils s'en balancent. Au point d'oublier une journée entière ce qui se passe chez eux. Si, la bouche en cœur, quelqu'un leur demande des nouvelles du petit dernier, ils prennent un air gêné et répondent comme s'il s'agissait d'une parole obscène, déplacée en ces lieux : « Il grandit... »

Quand ils rentrent le soir, ils sont souvent muets. Entre boulot et dodo, le courant passe mal. Leurs ennuis avec Lambert, le chef d'agence ? On les apprend par bribes, quand ils veulent bien nous en parler. Nous, plutôt dissertes sur la moindre escarmouche entre Lambert et nous et sur tous les problèmes de ce foutu bureau, on a deux solutions : parler dans le désert ou alors s'écraser. Le choix étant insupportable, on tente de rétablir le dialogue à tout prix. C'est vrai que notre activité nous motive tellement — et nous déprime autant — qu'on éprouve le besoin vital de *tout* leur raconter. Ce qu'ils font plus rarement. En plus ils saturent vite de nos histoires à nous, quand ils sont tellement débordés par les leurs.

Avec notre travail, ils sont ambivalents. Très fiers d'être les heureux compagnons d'une « anti-bobonne » à exhiber dans les salons. C'est vrai qu'ils nous poussent, nous encouragent, pour mieux se rengorger et se congratuler : « Ma femme est formidable. » Parfois même ils vont jusqu'à se sacrifier pour nous. (Rare, mais ça arrive. Refuser un poste d'attaché culturel à Pékin parce que « ma femme entre en politique » est nouveau dans les mœurs et mérite qu'on applaudisse.)

Mais ils ne sont cependant pas fâchés de nous trouver avant eux à la maison, quand ils rentrent. Ni (trop) mécontents quand le chômage nous fauche en plein élan et qu'ainsi, croient-ils, nous allons être plus disponibles pour eux et les enfants. Ni vraiment ravis, quand nous partons deux jours, ou cinq ou dix, pour un congrès à Roanne, un salon à Milan, un reportage en Thaïlande et qu'ils se retrouvent « tout seuls » pour garder la maison (en oubliant que LEURS absences leur prennent au moins dix jours par mois).

Les meilleurs d'entre eux, les plus jeunes, les NouveauPères, héroïques et pionniers (de leur point de vue), ceux qu'on croise le soir après la fermeture, cartable dans une main, paquet de couches de l'autre et l'air égaré du pauvre diable abasourdi par l'existence, ceux-là téléphonent parfois à leurs femmes pour dire que « tout va bien », aux enfants pour avertir qu'ils ne les verront pas ce soir, et dans les moments de grande intimité — la cantine, la pause café — montreront les photos d'Alexandre ou Juliette (surtout à leurs collègues du sexe féminin).

Les meilleurs d'entre eux, dans le Saint des Saints, sont exactement comme tout le monde. Frappés de cette bizarrre amnésie qui leur fait évacuer toute vie privée ou presque, ils oublient que leurs collègues femmes sont des femmes, que leurs associées sont des femmes, que leurs patrons sont des femmes. Comme les autres. Comme les leurs.

Patronnes mais pas patronnesses

Pour eux, nous sommes à leur image. (Ils croient la comparaison tout en notre honneur.) Un plan de carrière sur jambes (qu'ils préfèrent jolies). Car entendons-nous bien. Des êtres sexués, bien sûr, nous le restons, et ils le reconnaissent. Au boulot, comme ailleurs, le sexe, c'est la vie. Dans n'importe quelle boîte, le chef de service drague la standardiste, Dugland le créatif mate la maquettiste et à l'extrême rigueur, Maître Linda Le Mercier flirte avec son stagiaire. Mais le dernier exemple est plutôt mal vu. Car si SuperWoman veut avancer, elle doit être vigilante. Préférer les histoires de QI aux histoires de cul, et au pire, si l'aventure paraît inévitable, ne pas se déclasser. Viser plus haut ou égal. Mieux vaut être taxée d'arriviste parce qu'on a une love story avec le PDG que de nymphomane parce que ce sont les yeux bleus du coursier qui nous plaisent.

Pour couper court à ce genre de problèmes, Executive Woman a tout interêt à adopter l'attitude « neutre-active ». Sexy sans exciter. Un brin de séduction sur une allure bon genre. Doser les ingrédients. Dame patronnesse, ça fait préretraite. Poupée Barbie, ça fait bas de gamme. Etre à la fois les deux, plus la note d'humour. Charmer : c'est de bonne guerre. Dans ce combat sans merci qu'est le monde du travail, toutes les armes, même les plus déloyales, sont permises. Connaître ses limites et ne pas les dépasser. SuperWoman ne doit jamais être un bon coup, mais un rêve (presque) inaccessible.

Séduction mise à part, nous ne sommes pour eux ni des filles, ni des mères, ni des épouses. Nous ne sommes qu'un métier. Nous avons tellement voulu leur démontrer que nous étions géniales, au-dessus du panier, qu'ils ont fini par confondre la femme et sa fonction. Imagine-t-on un seul instant Anne Sinclair avec une éponge, Meryl Streep et son Mytosil, Christine Ockrent les mains dans le caca, Jane Fonda s'épilant la moustache ? Non, cent fois non. Pas plus qu'on ne se les figure sortant du Monoprix, entre deux rendez-vous, avec leur cabas débordant des courses du dîner. Nous-mêmes, parfois, avons du mal à y croire. Du coup, nous sommes censées laisser notre vie privée au vestiaire, en arrivant le matin. Alors que c'est l'inverse qui se produit. Surtout lorsque l'enfant paraît.

IV

Executive Mammas

> « Les statistiques qui abreuvent nos jours et nos lectures nous disent que l'individu le plus fatigué, c'est la femme entre 25 et 35 ans qui travaille toute la journée dehors et qui a deux enfants. »
>
> Laurence PERNOUD,
> *Il ne fait pas bon être mère par les temps qui courent,* Stock, 1981.

Du baby-boom dans l'air

Un bébé, c'est mignon, c'est câlin et c'est tendre. Et ILS les adorent tous. Curieusement, pas les nôtres. Pourtant, ils le trompettent sur tous les tons, l'affichent même sur les murs de nos villes : faites des bébés, pour l'avenir, pour la retraite, pour la patrie, pour la famille... Pas de doute : la France est nataliste dans l'âme. Mais dans l'âme seulement. Au travail, pour nos patrons, associés ou chers collègues, un bébé c'est d'abord une source d'embêtements. Marmots et boulot ne riment que dans les maux... Pourtant nous sommes plus de 60 % à marcher sur la corde raide, tiraillées entre couches-culottes et attachés-case.

Célibataires, sans enfants, nous sommes parfaites. Taillables et corvéables à merci. Toujours disponibles, l'œil fixé sur la ligne droite de notre avancement. Acceptant de jouer au médecin de nuit en se collant sans rechigner le rapport de dernière minute ; consentant avec un sourire jaune à courir chercher les Japs, qui débarquent le soir même, vers onze heures, à Roissy ; se portant volontaires pour « couvrir » le tremblement de terre de Mexico : « L'avion décolle dans une heure. Avec vous. » Dès qu'il y a du baby-boom dans l'air, les choses se gâtent. Mexico, c'est OK, mais laissez-nous cinq minutes pour nous organiser.

Vouloir un premier enfant, quand le plein-temps nous mine, c'est déjà kamikaze. C'est jamais le bon moment. On a bien trop à faire pour percer. Ou pas assez d'argent. Ou les deux à la fois. Quand le boulot roule, faut encore trouver le père. Le bon. A supporter, sinon toute la vie, du moins quelques années, le temps que les enfants grandissent. Ou alors on a les deux, la carrière et le papa, mais on n'y arrive pas. Et comme la nature est ainsi faite qu'une vie sans enfant nous semble, à beaucoup d'entre nous du moins, insupportable (il y aura toujours, à un moment donné, comme un vague regret, ou un manque poignant même pour celles qui refusent farouchement d'être mères), nous sommes prêtes à tout, de mères porteuses en bébés éprouvette, d'opérations en adoptions pour un petit bambin.

L'annonce faite au Big Boss

Une fois l'enfant conçu, le plus compliqué reste à faire. Premier écueil et non des moindres : le dire à son patron (en principe, c'est toujours lui le dernier informé). Aux Etats-Unis, où les lois sociales retardent de vingt ans sur les nôtres, le best-seller des Executive Women s'appelle « J'attends un bébé au bureau » et la bande-annonce précise : « Le moment le plus dur de votre grossesse c'est lorsque vous allez en faire part à votre patron. »

En France où les salariées ont gagné l'indispensable congé maternité, les réactions de votre supérieur sont bizarrement aussi hostiles. Même s'il n'ose pas franchement râler, il ne poussera pas la grandeur d'âme jusqu'à offrir le champagne (ce sont les collègues femmes qui s'en chargent).

Car pour un patron, ce bébé signifiera toujours cinq mois sans travailler. Votre joie, il s'en tape. Vos angoisses le laissent de marbre. Et si, fair-play tout de même, il vous félicite du bout des lèvres, ne croyez pas pour autant la partie gagnée : il y aura toujours un moment où ça grince. Le baby-boom c'est d'abord, de son point de vue égoïste, un boom d'embêtements... (D'ailleurs quand c'est vous le chef, avocate, médecin, architecte, etc., un bébé, ça veut dire travailler jusqu'au dernier jour ou presque, car les congés naissance sortent de votre poche.)

Bref, lui annoncer la « chose » prend parfois des jours et des jours et des nuits blanches surtout, à retourner ses phrases, à chercher la façon la plus fine de lui faire, si j'ose dire, avaler la pilule.

Il y a le style catastrophée, pour qu'il se sente obligé de vous regonfler le moral. « J'ai une nouvelle ennuyeuse à vous annoncer. » En parlant, vous prenez l'air sinistre. Tout de suite, il craint le pire. « Les concurrents ont eu vent du nouveau brevet ? Nous perdons de l'argent ? » Vous secouez la tête, de plus en plus morose : « Non, plus grave. Je vais avoir un bébé. » Il respire, soulagé

Ce n'était que ça… Là il est obligé de vous féliciter, remettant à plus tard ses aigreurs.

Il y a l'optimiste à tous crins, qui profite du moment détendu de la pause café, pour balancer un jovial : « Chef, l'entreprise va encore s'enrichir. Je suis enceinte. Et c'est de mon mari… » Et paf, coincé le boss…

Il y a celle qui l'implique : « Gertrude, si c'est une fille, et Théophile, comme vous, si c'est un garçon : bien sûr, vous serez le parrain. »

Il y a aussi la pro qui lui envoie une note en cinq points : « J'attends un enfant dont la naissance est prévue pour le 30 août à 17 heures 35. Je prendrai donc mes congés maternité à partir du 15 juillet et serai à nouveau disponible dès le 15 décembre, vacances d'été comprises. Je m'arrangerai pour ne pas perturber la bonne marche du service. Et en cas de coup dur soyez assuré de pouvoir compter sur moi. » Bref, toujours se montrer classe. Ne pas laisser monter l'exaspération, à vos yeux légitime.

Il y a pourtant pire que l'annonce d'un premier enfant : celle d'un deuxième ou d'un troisième. Surtout quand ce petit dernier-là n'est pas tout à fait programmé. On croyait avoir « choisi » d'enfanter. Et voilà qu'on « tombe enceinte ». Hé oui, à notre époque. Vingt ans après la loi Neuwirth. La honte ou quasiment. C'est l'accident de pilule — rare, mais il existe — alors qu'on vient d'entrer dans nos nouvelles fonctions de chef du personnel. Ah, la tête de celui qui vous a embauchée devant mille candidats, pensant qu'avec vos deux enfants, vous étiez au moins dégagée des OM (obligations maternité.) Car les patrons, c'est vrai, répugnent à engager des « potentiellement mères », pensant avec effroi à l'absentéisme que cela entraînera. Statistiquement pourtant et pour en finir avec les idées fausses, nous sommes sur la durée plus présentes que les hommes au travail.

C'est le second bébé se signalant deux mois après la naissance du premier (l'accident d'allaitement, ça n'arrive pas qu'aux autres) et qui vous attire l'agréable réflexion, méritée après tout : « Ça ne vous dérange pas de travailler six mois par an ? »

Une chose est claire : l'executive en cloque n'a pas la cote maxi. Au mieux, elle est affligée d'une maladie bizarre : sa « situation » cadre mal avec ses hautes fonctions. En tout cas, elle n'est pas dans son état normal : on ne sait plus très bien comment lui parler. Il existe, ce paternaliste qui vous caresse le bide gentiment, en vous disant : « J'espère, mon petit, que vous n'allez pas m'EN faire trois à la suite... » Il existe, ce haut fonctionnaire d'un grand ministère, qui nota sur le dossier d'une collaboratrice, obligée de s'aliter pour éviter un prématuré : « Je n'ai pas eu le temps d'apprécier les qualités sûrement excellentes de Mme Rivière, longtemps absente en raison d'une longue maladie. » (La « longue maladie » en question a six ans aujourd'hui.)

SuperGrosBide

Pour prouver le contraire, montrer que le gros ventre n'atteint pas le cerveau, on se démène encore plus que d'ordinaire. On court dans tous les sens, on s'exhibe fièrement (et on est, malgré tout, très fières). Avion, moto, bagnole, interviews (comme Ockrent à la télé, enceinte de huit mois), gym et régimes, tenues sexy (le mieux qu'on peut). A bas le gros tas, vive la Super-Mamma.

Dans les maternités branchées comme Saint-Vincent-de Paul, le spectacle est d'abord dans la salle. D'attente. Les nouvelles futures mères ne tricotent plus de layette pastel en attendant *leur* gynécologue (plus un analyste qu'autre chose tant le « transfert » est grand). Habillées de jeans piqués à leurs jules, de grandes jupes et longs pulls ou de caleçons moulants achetés n'importe où sauf chez Prénatal (la robe chasuble est bien évidemment proscrite), elles déplient *Le Monde,* feuillettent *L'Obs* ou *L'Evénement*, ou se plongent dans le dernier Badinter. Cette visite-là, mensuelle pendant neuf mois, devient un rendez-vous comme un autre. On y parle de tout, politique, économie, boulot, air du temps, et à la rigueur du bébé à naître. Mais en fin de course seulement, sous peine de passer pour une sous-informée. Ou pire, pour une mère à plein temps.

Le drame c'est qu'on ne sait pas très bien toujours, comment se positionner. Entre l'image d'Epinal des pubs assurance-vie, la femme enceinte au rocking-chair, qui attend la naissance dans un flou hamiltonien en se regardant béatement le nombril et le nouveau mythe tout aussi exaspérant de la super-active qui accouche pratiquement au bureau entre deux rendez-vous, nous avons du mal à choisir. On voudrait *à la fois* être normale et ne pas l'être, vivre comme si de rien n'était, et se sentir en permanence *habitée.*

On aimerait pendant ces neuf mois avoir le droit de mener sa petite vie intérieure tranquille. D'ailleurs, ce bébé, c'est comme s'il était là, on lui parle, on s'interrompt pour le sentir bouger, on lui fait écouter de la musique classique, on le met au soleil pour qu'il puisse respirer, on applique Brazelton et Dolto à la lettre, avant même qu'il soit né. C'est à se demander comment il a pu naître des enfants équilibrés avant nous...

Mais dans le même temps il nous faut travailler jusqu'au bout, comme un homme, mieux qu'un homme puisqu'on doit en abattre deux fois plus pour faire oublier notre état (et, paradoxe, se faire de plus en plus petite à mesure qu'on grossit).

Souvent la sanction tombe vite... La chaise longue forcée pour éviter un bébé trop pressé de sortir. Statistiquement, c'est prouvé : plus des trois quarts des grossesses à haut risque surviennent chez les diplômées et les CareerWomen. Ce congé importun, encore une bonne nouvelle pour le patron, l'associé, voire même le cher collègue, qui vont vous soupçonner in petto, tout en vous plaignant tout haut, de vouloir tirer au flanc. Vous et eux n'avez pas la même version des faits. Au lit pendant six mois, vous bouillez d'impatience : seule l'idée du bébé vous retient de tout casser. Eux pensent plutôt que ce sont des vacances et vous submergent de dossiers à étudier chez vous. Que vous acceptez par culpabilité au nom de cette sacro-sainte rentabilité. Car la grossesse d'une SuperWoman est en permanence un curieux mélange de remords et de satisfaction.

Boulot Slow et Baby Blues

Une fois le bébé pondu, les télégrammes reçus et les fleurs fanées, l'idéal, pour eux, serait qu'on revienne, pif, pof, comme si de rien n'était (bien contentes du reste quand on retrouve notre chaise). Avec l'air contrit de celles que juré, craché, on ne reprendra plus. Qu'on fasse comme si le bébé n'était qu'un souvenir lointain, un moment entre parenthèses vite refermé et qu'une fois cadeaux et photos rangés au fond du tiroir, on se remette au boulot sans plus y penser.

Justement, c'est *là* qu'on y pense. Frustrées de sa présence (trois mois c'est tout petit), angoissées par la crèche, la nourrice ou la nounou (on n'a pas encore eu le temps de s'y habituer), crevées par l'accouchement, l'allaitement, les nuits blanches, déprimées par les kilos en trop, on reprend le travail en plein babyblues. Dans le brouillard le plus complet. Et même les plus compét, les plus productives, se demandent au moins une fois par jour pourquoi elles perdent leur temps avec ces rendez-vous, alors que le bébé a encore besoin d'elles (et elles de lui surtout). Pas de doute, il faut faire face mais c'est dur à ajuster. On en vient presque à envier — ô horreur — les mères au foyer, en oubliant que ces trois mois passés à la maison nous ont souvent pesé.

Et puis plus c'est petit et plus ça se remarque. Voilà qu'arrive le cycle infernal des maladies en *ite* (otites, rhinites, bronchites), bénignes, mais ingérables entre des rendez-vous impossibles à déplacer (comment faire pour remettre une audience au Palais quand Raphaëlle a 40° ?) et des NouveauPères submergés. On apprend vite à tricher. Augusta, la SuperNounou, est malade ? Et nous avons ramé trois heures pour la remplacer ? Le retard s'excuse mieux par la voiture en rade que par le ridicule « J'ai une panne de nounou… ».

Quand les enfants sont grands, ce n'est pas plus facile. Au contraire. L'adage est bien connu : « A petits enfants, petits soucis, à grands enfants… » De « Clément a eu un accident de mob » et vous voilà tremblante, larguant la réunion pour courir d'hôpital en commissariats (heureusement il n'a de cassé que les freins), à « Personne n'est venu chercher Elsa à l'école », (et vous laissez tout en plan pour recueillir la pauvre petite qui se bourre de bonbons en regardant la 5 dans la loge de la concierge de la maternelle), la liste est bien longue des interférences entre eux et le plan de carrière.

Que font les pères ? Souvent injoignables. Ou indéplaçables, car *leur* travail est tellement plus important que le *nôtre*. Heureusement que dans les moments durs, ils nous encouragent vivement au téléphone et rappellent ensuite pour prendre des nouvelles. Sans ça, la vie serait carrément invivable...

L'enfant-roi, votre chérubin, le trésor de votre vie, est personna non grata dans le monde du travail. Dur à admettre, mais c'est ainsi. On tolère les chiens couchés toute la journée aux pieds de leur maître. Mais l'enfant doit surtout briller par son absence. Ne jamais l'emmener, même si on a envie quelquefois de l'exhiber. Après les premiers cris d'extase d'usage, il redevient très vite ce qu'il n'a pas cessé d'être, un gêneur, un trublion, un importun. Rappelant douloureusement aux uns et aux autres que Mme Durand celle-là même qui terrorise un service entier, est aussi une gentille maman à ses heures.

L'absentéisme quand il est malade ? Un leurre même si c'est parfois un droit quelques jours par an. Très peu d'entre nous en profitent. Tout juste si dans notre univers impitoyable, nos JR de chefs tolèrent nos maladies à nous (et quand JR, c'est nous, il faut donner le bon exemple, travailler avec 40° ou une extinction de voix). Alors celles des enfants...

Totem : l'escargot

Tout ces ennuis étant, bien sûr, « confidentiel défense », sauf pour les oreilles amies. Celles des autres collègues femmes compatissantes, parce qu'elles *connaissent* nos souffrances pour les avoir bien connues elles aussi. Et savent que dans les galères avec les enfants, nous sommes « seules au monde » (comme le confiait un jour Michèle Barzach, notre ministre de la Santé elle-même, à une attachée de cabinet dont l'organisation avait un peu craqué).

Ça y est, c'est parti. Nous voilà à jamais membres du club des EM (Executive Mammas). Le tatouage en est gravé sur le visage verdâtre de toutes celles qui affichent à neuf heures du matin des yeux un peu plus cernés que la veille, parce que Valentin a eu mal aux dents la nuit. Le totem ? L'escargot, bien sûr, qui transporte en permanence, comme toutes ces héroïnes, sa maison sur son dos.

Dès l'instant où on franchit la porte du bureau, le numéro commence. (En réalité, il a débuté depuis deux heures au moins, quand on a expédié en un tournemain une famille entière, chacun bien rangé dans son petit casier).

« Et voici maintenant notre SuperWoman qui va vous montrer comment elle jongle, sans jamais se tromper, avec tous les éléments qui composent sa vie. Approchez, messieurs mesdames, venez jeter un œil, ça vaut le déplacement. » Pas de doute, il y aurait là de quoi faire rire les foules. Sauf nous, justement. Certains jours même ce n'est pas rigolo du tout. Il faut manager l'interview de Chirac et le 38°5 du petit dernier (comme Anne Sinclair le raconte elle-même dans *VSD*). Le divorce des Mouron-Jacquard à plaider au palais de justice et l'achat de baskets pour Jéremy sur le trajet du retour au cabinet. Le coup de fil furax au fournisseur en retard sur sa livraison de fusibles et l'appel dans la foulée au boucher pour le dîner-impromptu-du-soir (trois copains qui s'invitent). Le rapport sur lequel on essaie de se concentrer, interrompu au téléphone par Thomas qui ne comprend rien à sa version latine. (Ou par Léa qui demande de sa petite voix pointue : « Dis maman, comment on dessine un dragon bleu ? » alors que vous vous engueulez avec Dugrand-Dugland). Car même si une assistante zélée filtre tous vos coups de fil, l'appel des enfants (ou du jules ou de maman) vous l'acceptez en urgence, toutes affaires cessantes. Et elles cessent, de fait.

Le téléphone pour la SuperWoman est plus qu'une nécessité, le fil qui la relie à la réalité. Et qui lui permet, à dix heures de prendre rendez-vous chez Maniatis en lieu et place du déjeuner, à 15 heures de passer la commande chez Picard Surgelés, à 17 heures de vérifier que les enfants sont bien rentrés de l'école, à 18 heures de dicter à la nounou la recette du canard aux navets ou bien des nouilles au beurre (selon *vos* impératifs et *ses* possibilités), et entre les heures, de barrer l'une après l'autre (et avec quelle volupté) les lignes de la précieuse petite liste qui ne la quitte jamais, déchiffrable uniquement par elle-même. (*Modèle type* : 1. Dentiste Thomas. 2. Déj. Linda annuler. 3. Dossier Duveau. 4. Beurre. 5. Tél. ND. 6. Fleurs Mamie. 7. Voir Lemercier. 8 EDF Urgent.)

Allô Tokyo ? Doudou a 40°

Tout cela, c'est encore la routine. Le quotidien banal à en pleurer. L'ordre des choses normal. Presque reposant dans sa répétition. Car dès que les choses se gâtent (nounous malades, enfants à aller chercher en catastrophe à l'école, voiture en panne, etc.) ou sortent de l'ordinaire, la vie quotidienne prend soudain des proportions bien plus terrifiantes.

Comme le voyage d'affaires. Pas l'aller-retour Paris-Milan ou Rennes-Strasbourg expédié dans la journee. Non, le long, celui qui vous retient loin, très loin de chez vous au moins cinq ou six jours. Le Japon par exemple où toute SuperWoman doit aller une fois dans sa vie pour enlever un marché. (Quoique Tokyo, plus branché que New York, perde un peu de son chic, au profit de Pékin ou Sidney.) Mais bon, disons Tokyo. Avant le jour J, il vous faut juste régler deux ou trois petites choses, pour partir l'âme en paix. Le boulot? Quelques affaires courantes à expédier (dix jours de travail à concentrer sur trois), les contrats à préparer, le départ à organiser, les consignes à laisser, ne retiennent, finalement, que deux heures tout au plus chaque soir.

La maison ? Rien de plus simple. Ou presque. Il suffit : 1° de convaincre le père des enfants de rentrer le soir avant vingt et une heures pour relayer la nounou. Evident ? Voire... Témoin, un de ces spécimens exaspéré par l'absence future de sa femme, qui se mit rageusement à barrer sur son agenda tous les jours où elle ne serait pas là en hurlant : « Rentrer le soir à six heures et demie, c'est comme si je n'allais pas travailler du tout ! » ; 2° de s'organiser pour qu'ILS puissent survivre toute la semaine sans vous. Bourrer les placards, le congélo, le frigo. Doubler la nounou habituelle d'une baby-sitter disponible tous les soirs au cas (très probable) où le NouveauPère aurait envie de sortie. Et prévoir une organisation stratégique le week-end. Demander à sa mère d'être sur le pied de guerre. Laisser de l'argent dans des cachettes secrètes.

Faire des listes de tout. Comme si le reste de la maison, à part vous, était composé d'irresponsables débiles. Et les afficher en évidence aux endroits stratégiques. Médicaments de base à donner en cas d'urgence (ne pas confondre *éosine* et *catalgine*). Vêtements à mettre ou à ôter aux enfants en cas de variations de la température (préciser en toutes lettres que le pull en mohair rose c'est quand il fait -15° mais que pour la saison — un septembre très doux — Marie peut très bien vivre en sweatshirt). Menus équilibrés (pas de pizza, crèpes, pâtes ET pommes de terre dans le même repas). Traité de puériculture détaillé si vous laissez un bébé (« Tétine n°1 pour le lait, tétine n°2 pour le lait ET les céréales, tétine n°3 pour la soupe... » écrit en lettres de feu au cas où personne n'aurait compris que tout biberon comporte trois vitesses...).

Bref, lorsque enfin vous prenez votre avion, vous êtes plus fatiguée qu'après un mois de bagne. Arrivée au Japon, passons sur les angoisses à trois heures du matin (sept heures du soir en France), au trente-troisième étage de l'Akasaka Hôtel de Tokyo. Minée par le « jet-lag » et par les idées noires, vous vous retournez dix fois dans votre lit. « Et si Noémie glisse de la baignoire et qu'elle s'ouvre le front et que son père n'est pas là, sa grand-mère en vadrouille et le médecin en visite, QUI Augusta va-t-elle bien pouvoir joindre en MON absence ? » Surtout ne pas appeler même au pire du cauchemar. Car il vaut mieux le doute que la voix faussement enjouée du mari qui répond : « Non, tout va bien chérie, on se débrouille sans toi. » Silence. « A peu près. »

La veille du retour vous en avez soupé des courbettes, des dîners de sushis où vous êtes la seule femme palabrant avec huit Japonais sinistres, des discussions interminables sur les points les plus infinitésimaux du contrat. Vous resteriez bien une journée de plus histoire de visiter et de faire du shopping ailleurs qu'en duty-free. Au téléphone, là-bas, la voix se fait mourante. « Les enfants ont 40°. La nounou est malade. Et moi-même je ne me sens pas très bien. Au fait *ta* mère est là. » Que faire ? Vous rentrez. En calculant qu'avec un somnifère vous dormirez dans l'avion du retour, car la grasse matinée en arrivant (une heure juste pour récupérer) semble bien compromise. Après tout (et vous pouvez compter sur « eux » pour vous le faire remarquer), vous n'êtes pas fatiguée : ne venez-vous pas de prendre huit jours de « vacances » ?

Executive Mamma enfin canonisée ?

Executive Mamma n'a pas la vie facile tous les jours, c'est sûr. Mieux que le prix Cognacq, on devrait la décorer d'un ordre spécialement créé pour elle. Quand on pense que pas dégoûtées, toujours motivées, on en redemande toutes. Et un premier enfant pour assurer la lignée. Et le jeune frère deux ans après, dans la foulée, pour amuser l'aîné. Et un troisième parce que deux, ça ne fait pas famille. Et le petit dernier pour nos vieilles années. Si nous le pouvions, nous en ferions bien dix Par envie. Par plaisir. Nous consommons les enfants plus encore que le reste : avec un bel appétit d'ogresse. Notre rêve secret, c'est la maison pleine de rires, la table servie pour quinze, l'arbre de Noël croulant sous les cadeaux. Notre joie quotidienne : les secrets qu'on chuchote, les petites mains qu'on serre, les câlins, les baisers, les premiers pas, le « maman » clamé dès que la porte s'ouvre.

Pourtant, rien ne nous y encourage. Et surtout pas les ridicules mesures baby-ploof de l'Etat. Même si les primes à l'élevage peuvent en aider quelques-unes, nos chers gouvernants feraient mieux de multiplier les crèches. Et surtout de mettre véritablement le paquet pour déclencher une révolution culturelle modifiant les structures et les comportements à l'égard des enfants.

Car ce n'est pas l'avortement qui les tue. C'est la société tout entière qui est une faiseuse d'anges. Cela tient quasi du miracle qu'on aille jusqu'à deux, pour ne pas dire trois... Dans une course folle qui transforme chaque primipare en une SuperWoman puissance 1000. Et qui augmente d'autant à chaque nouvel enfant.

V

SuperMammas

De surcroît, ces petits chéris, nous les voulons parfaits. Comme nous. Performants à notre image. Ni ongles sales, ni dents pas lavées, ni devoirs mal faits. Ni grossiers, ni téléphages. Et nous nous occupons de tout dans les moindres détails. Sans négliger un seul domaine propice à leur épanouissement. Nous crions bien haut et nous n'écoutons que les psy qui le clament, qu'un enfant est plus heureux, plus autonome, plus dégourdi, quand ses *deux* parents travaillent. Mais pour compenser notre « désertion », on en fait quinze fois plus avec eux qu'une mère au foyer. Rien de ce qui les rendra beaux, intelligents, drôles et éveillés ne nous est étranger. Super-Mamma est un job à temps plein.

Bonpoint ou Monoprix

Première offensive, l'habillement. Nous dépensons des trésors en énergie et en argent pour qu'ils soient bien sapés, de vrais dandies de bac à sable, faisant souvent passer leur élégance avant la nôtre. Avant même la naissance de ces SuperBébés, nous avions déjà parcouru tous les catalogues de layette pour trouver des modèles de brassières gris souris, céladon ou pervenche (bannir le rose fillette et le bleu tartignole) à tricoter soi-même. Ou à exécuter par une mamie habile. Quelques babygros Agnès B plus tard, nous sommes devenues imbattables sur les smocks, la salopette à pressions, ou le pull jacquard et torsadé fait main. Intraitables sur les matières (coton et laine exclusivement), les couleurs (du sobre, du sans risques avec, ces temps-ci, des percées de vert vif et surtout de noir au grand dam de nos mères), les formes (les excentricités font plouc ou nouveau riche).

Ils doivent être mignons, mais jamais trop mode. Toujours le look impec, en Osh-Kosh, Tony Boy, Pom'd'Api ou Monoprix. Qu'on les aime voyous classiques ou BCBG farceurs, ils doivent doser humour, allure et qualité.

Nous nous refilons les adresses, les combines, la bonne marque de chaussures drôles et solides qui tiendront toute l'année, le soldeur pas trop cheap. Economes, nous nous passons les vêtements d'une année à l'autre, les culottes anglaises de Simon en Romain, les petites robes liberty d'Emilie en Elise. Mais nous déboursons des sommes folles, sans complexes, pour une robe de chambre des Laines Ecossaises ou une doudoune en vrai duvet. Pas plus que pour nous, la fausse note ne leur est permise. Si l'habit ne fait pas le moine, selon nos critères il fait les enfants réussis.

Le QI d'Einstein et l'humour de Coluche

En bonnes SuperMammas nous ne nous attachons pas seulement à l'apparence. Nous leur voulons aussi le QI d'Einstein dès le jardin d'enfants, le génie musical de Mozart dès la toute première leçon de solfège, le coup de pinceau de Picasso chaque fois qu'ils barbouillent consciencieusement les dossiers de papa, l'humour de Coluche à chaque repartie.

C'est avant même leur naissance que commence notre bébolâtrie. Une pratique très en vogue depuis quelques années, depuis que les « psydiatres » de tout acabit ont découvert que les bébés ont une âme. Et même une pensée. Et qu'ils ont baptisé leur *doudou*, leur *fonfon*, leur *chichon*, le mouchoir innommable que tous sans exception traînent derrière eux depuis la nuit des temps : « objet transitionnel ». Fœtus, ils « écoutent » Beethoven et Bach pour développer leur sens artistique (Madonna, ils aiment moins, ça les fait sursauter). A un mois, ils sont déjà inscrits à l'Ecole alsacienne, à trois mois nous leur offrons leur premier Larousse en images. A quatre, ils barbotent chez les bébés nageurs. Et s'ils n'étudient pas le violon à cinq (méthode Suzuki) ou le chinois à six, c'est que le ridicule nous retient tout juste.

Nous suivons à la lettre Dolto et Brazelton, leur parlant dès la première minute de leur existence comme à des diplômés de « Sciences-Pot » : « C'est bien, mon Anatole, tu as fait un caca magnifique, je suis très fière de toi, maintenant nous allons le jeter aux cabinets. » Le moindre de leurs réveils nocturnes est mis à profit, malgré l'envie irrépressible que nous avons de regagner le lit, pour leur chanter une ou deux berceuses. Histoire d'atténuer du mieux qu'on peut le traumatisme du cauchemar.

Les mois passent et ça empire. De bébolâtres, nous voilà enfanatiques. Nous devenons, au choix, des *Kyoiku Mammas*, mères japonaises génitrices de générations de Nippons performants ou des *Yiddish Mammas*, mères juives grandes fournisseuses de chair à divan. (Car lorsque enfin nous sommes fières de nos petits prodiges, qu'ils sont premiers en tout même en gym, c'est pour entendre le prof de français froidement nous expliquer que nous sommes un modèle de mère trop écrasant pour Juliette. Et que la pauvre petite se ronge de ne pas parvenir à nous ressembler...)

Patiemment nous leur apprenons à parler (le premier « au'voi mama » de Samuel bégayé à un an nous a confortées, si besoin en était, dans la conviction intime que nous avions pondu un cerveau exceptionnel), puis à écrire, et à lire : il faut qu'ils aient bouclé le programme à quatre ans. Nous choisissons soigneusement leurs livres d'images que nous leur racontons chaque soir avec beaucoup d'amour, même quand nous sommes crevées. « Alors, Boucle d'Or rencontra le Petit Chaperon Rouge. » Et nous sommes tellement fières lorsqu'ils finissent à la longue par les savoir par cœur. (Les accents de triomphe, quand Hugo, à seize mois, imite sans se tromper chaque animal de son « Imagier » du père Castor... « Le chat ? Miaou. Le chien ? Woua-woua. Bien mon bébé. » Tout juste si on ne se retrouve pas à quatre pattes, en tailleur, pour lui montrer l'éléphant et sa trompe.)

Avec quelle hâte et quel bonheur nous leur faisons découvrir par la suite les héros de papier qui peuplèrent notre enfance. D'Artagnan, Cosette, Ivanhoé, Rouletabille... Et plus tard encore, la « bonne » littérature. Dont nous ne souffririons pas qu'ils la dédaignent au profit des BD.

Il faudrait qu'ils soient en avance sur tout, pour épater nos copines (que ça n'impressionne guère car elles nourrissent pour leurs petits génies les mêmes desseins que les nôtres), pour bluffer la maîtresse (qui en a trente comme lui sur les bras) et dépasser de trois longueurs leurs camarades de classe. Ils doivent être les premiers, à la rigueur deuxièmes, mais jamais au-delà. Même si pour y arriver nous nous ruinons en cours particuliers d'anglais ou de français. Dès la première rentrée, nous annonçons fièrement que Delphine est en « Mat'Sup » (traduire maternelle supérieure). Nous les voudrions à six ans en sixième, à douze en hypokhâgne, tout en soupirant parce qu'ils grandissent trop vite.

Le syndrome de l'élastique

Résultat : trop, c'est trop. On oublie un peu vite que leurs cerveaux surgavés ont encore un format de poche, tant nous avons à cœur d'en faire des surdoués. Du coup ce sont tous nos patients efforts qu'ils nous renvoient à la figure, comme un élastique sur lequel on aurait un peu trop tiré.

Nous leur achetons des jeux éducatifs bien au-dessus de leur âge, des Fisher-Price tous azimuts, des puzzles, des collages, des gommettes, des lotos, des « alphabets en s'amusant », des dominos, des constructions savantes, des méthodes pour apprendre les échecs à quatre ans. Et nous nous désolons lorsqu'ils préfèrent de beaucoup gribouiller sur les murs.

Nous voudrions qu'ils n'aient, comme nous, que des goûts raffinés. Et nous sommes horrifiées quand nos filles ne rêvent que de Barbie ou de Chantal Goya (et exigent de porter des « robes de princesse » roses ou mauvâtres, à trous-trous et nœuds-nœuds comme leurs idoles). Ou quand nos fils menacent de nous « pulvériser » avec leurs horribles pistolets laser alors que nous avions une fois pour toutes décidé que jamais il ne rentrerait une seule « arme » dans le coffre à jouets.

Nourries de saines lectures dans notre période féministe, comme le fameux : *Du côté des petites filles* d'Eléna Belotti, nous aimerions par force leur mitonner l'éducation idéale que nous n'avons jamais reçue. Fabriquer dès leur premier jour des minis NouveauxHommes et des SuperWomen hautes comme trois pommes, avec rôles interchangeables entre filles et garçons. Ainsi pensons-nous, ils n'auront pas à lutter comme leurs pauvres parents pour se débarrasser d'atavismes culturels aussi démodés qu'encombrants. Et nous tombons de haut quand Simon se sert des poupées de sa sœur en guise de matraque. Et qu'Alice nous réclame en zozotant, pour Noël, un aspirateur « pour faire le ménaze ».

Nous rêvons pour eux de loisirs intéressants, épanouissants, où ils excelleraient : le piano, le judo, l'atelier poterie, la danse classique, les claquettes, le poney-club, la chorale, l'initiation au dessin, à la sculpture ou au parachutisme. Et nous nous demandons pourquoi le mercredi soir Eloi est tellement crevé.

Nous leur organisons le cirque, les après-midi au Musée des arts déco, les concerts, *La flûte enchantée racontée aux enfants*, les spectacles de marionnettes hongroises ou le théâtre expérimental pour enfants où des acteurs motivés se chargent à notre place d'éveiller leur sensibilité. Et nous nous effondrons quand, en plein milieu de la représentation, Liza se roule par terre en réclamant *Ulysse revient*. Ou que Lucas rouspète parce qu'il a encore raté *Supercopter*.

Nous leur organisons des séjours linguistiques en Irlande ou à Londres. Et nous nous étonnons lorsque Stéphanie rentre avec un accent cockney à couper au couteau, et dix kilos en plus, pour overdose de *fish and ships* et de *marshmallows*.

Mais rien ne nous décourage. Nous voulons qu'ils aient tout et qu'ils soient bien élevés. Qu'au tableau d'honneur des mères, nous ayons les lauriers. Même si d'autres que nous les éduquent à mi-temps.

VI

SuperNounous

> « Toute femme qui confie son enfant à quelqu'un d'autre se demande constamment si elle fait bien. Dans son esprit est encore enracinée l'image de la mère "idéale" qu'elle devrait être — celle qui reste chez elle pour s'occuper de ses enfants. »
>
> T. Berry BRAZELTON,
> *A ce soir*, Stock, 1986.

Mais qui va garder la boutique ?

Un million de moins de trois ans à caser huit heures par jour, cinq jours par semaine. Quatre cent mille nourrices et places de crèches. Restent six cent mille à faire garder par grand-mères, voisines, femmes de ménage, jeunes filles au pair ou nounous. Quoi qu'il nous en coûte, cœur et porte-monnaie, nous sommes bien obligées d'en appeler à des mains mercenaires pour choyer nos bébés. L'idée que d'autres bras que les nôtres vont les consoler ; d'autres bouches que les nôtres leur chuchoter des mots doux ; d'autres yeux que les nôtres avoir la primeur de leurs progrès, ne nous enchante guère.

Alors on se console. On se dit qu'on aura le reste. Le bib' du matin et l'histoire du soir ; la poésie récitée avant l'école, dans la salle de bains ; les discussions sur les grands sujets avant de se coucher (« Sophie est ma copine, Claire est plus ma copine, Julien est mon fiancé »). Et les week-ends où on met les bouchées doubles. Beaucoup et pas grand-chose. Car deux jours c'est peu pour souder une famille. Mais c'est le prix à payer pour notre liberté.

Et nous aurons en prime tous les emmerdements. Car, quelle que soit la garde, il NOUS faut d'abord bétonner la structure. Et quelle que soit la solidité de la structure en question, il advient toujours un moment où ça casse : de l'enfant malade à la nounou souffrante, de la nourrice indigne aux instits en grève...

Ne nous berçons pas d'illusions, il n'existe pas de solution miracle. Le miracle, c'est nous qui le réinventons. Chaque jour. Notre bel équilibre tient à un simple fil accroché à nos pattes. S'il rompt, c'est nous et nous seules qui le rafistolons. Au prix de quelles angoisses... Une fois de plus, SuperWoman prend tout sur ses épaules. Et la garde des enfants n'est pas, loin de là, le poids le plus léger à porter.

La crèche, plus fermée qu'Harvard

Pour les tout-petits, il y a d'abord la crèche. Mode de garde, ô combien précieux, pour les parents à revenus modestes, c'est aussi le passage obligé des bébés de cadres sup' et d'intellos. Lesquels, même lorsqu'ils ont largement les moyens d'engager deux nounous, préfèrent que Louise ou Félix dès leur plus jeune âge fassent leur apprentissage de la vie en société. (Ah, quel bonheur de laisser derrière soi, tous les matins, le tableau charmant de trente agités, dont le sien, qui se « socialisent » en hurlant de concert...).

Mais la crèche, pas si simple. Primo, il faut pouvoir y entrer. Et ça, c'est encore plus difficile que d'inscrire le cher petit à l'Ecole alsacienne ou plus tard à Harvard. Les places sont très, très chères. Tous les moyens sont bons. S'inscrire, comme à la maternité de Saint-Vincent-de-Paul, avant la conception. Soudoyer la directrice avec des jouets, des bonbons (pas d'argent, elles sont incorruptibles). S'y pointer tous les jours, « en passant », surtout quand le gros ventre devient de plus en plus voyant. Copiner avec les puéricultrices, en flattant leurs enfants. (Car c'est bien connu : outre les gosses de gauche, les crèches sont peuplées d'enfants d'instit' ou de fonctionnaires à cause des horaires. Et de ceux des puéricultrices, qui sont ainsi les rares à bénéficier de l'immense privilège de travailler tout en élevant elles-mêmes leurs bébés.) Bref, jouer le grand jeu. Qui ne se révèle pas forcément payant. Car lorsqu'on vous annonce à huit jours de votre reprise du boulot, que Benjamin est encore le trois cent troisième de la liste, il n'y a plus qu'à chercher d'urgence un repli stratégique.

Ce qui n'est pas plus mal, car au fond la crèche n'offre pas que des avantages. Son bouillon de microbes quotidien est un traquenard redoutable pour la SuperWoman dont l'enfant attrape, par principe, toutes les maladies qui traînent (en plus, on doit subir la compassion ironique de celles qui exhibent la bonne santé des leurs, élevés bien au chaud à la maison comme dans un cocon stérile). Et ses horaires ne conviennent pas exactement aux professions qui justement n'en n'ont pas.

Il faudra donc trouver un autre intermédiaire. Une jeune fille au pair ou une baby-sitter qui ira chercher l'enfant à la crèche et le gardera jusqu'à votre retour. Ce qui commence à peser lourd financièrement. Si d'aventure vous pensiez que la crèche vous permettrait des économies, oubliez cette idée. Père et mère travaillant et gagnant normalement leur vie, s'en tirent, au bas mot pour deux mille francs par mois. Sans compter le salaire d'une femme de ménage en plus de la baby-sitter. Car celle-ci, parfaite avec l'enfant, a de curieuses absences au seul mot de rangement.

Alors là, c'est gagné. En plus du péril de l'organisation, vous avez en prime la fatigue, la panique les matins où Zoé a 40° et le remords de la trimbaler dehors tous les jours et par tous les temps, qu'il pleuve, neige ou vente...

Nourrice et nounou

En route pour la nourrice. L'assistante maternelle agréée, devrais-je dire. Là encore, ce n'est pas toujours l'aubaine. Il faut déjà dénicher la perle. Celle qui ne boit pas (ça s'est vu), n'entasse pas cinq mouflets abrutis par la télé gueulant toute la journée dans sa minuscule loge de concierge, celle qui ne les laisse pas deux heures tout seuls à hurler dans le lit parce qu'elle est allée au marché. Celle enfin qui n'est pas bardée de principes éducatifs datant de Mathusalem. Non, Elise n'est pas « sale » si elle n'est pas sur le pot à six mois ; non Matthieu n'est pas « méchant », s'il se montre normalement turbulent. Le choix laissé est mince. Ravaler les reproches ou partir dignement le bébé sous le bras. Et on en reprend pour un tour...

Sauf si la bonne fortune nous met sur SON chemin ELLE ? L'indispensable, la précieuse, l'auxiliaire, le bras droit : la bonne de grand-maman pudiquement rebaptisée, lois sociales obligent, *l'employée, la jeune fille* ou plus jolie, plus tendre, car évocateur d'une enfance réussie, *la nounou*. Bonne fortune au sens propre, car la solution est coûteuse. Un vrai luxe. Même si grâce à Mme Barzach nous sommes désormais exemptées en partie du paiement des charges sociales jusqu'à ce que l'enfant ait trois ans. (Après trois ans, c'est vrai, il peut supporter sans aucun problème des journées continues à l'école, cantine et garderie comprises, malgré l'avis négatif des pédiatres et du corps enseignant lui-même. Et surtout rentrer lui-même à la maison et se garder tout seul en attendant que maman revienne...)

SuperWoman survit mal sans sa SuperNounou. A elles deux, elles forment une paire dont l'homme du foyer est en partie, voire tout à fait, exclu. Sauf en arbitre, lorsqu'il s'agit de compter les points. Ou sur la pointe des pieds lorsqu'il demande qu'on cire ses chaussures ou qu'on lui prépare une tarte aux pommes pour son dessert... Deux femmes pour mener la maison : même si dans une vie antérieure il assurait sa quote-part de travaux ménagers, il se laisse désormais materner avec volupté. C'est la régression, le retour au Moyen Age, que dis-je, à la préhistoire.

Pire en fait, à la polygamie. (Mais si d'aventure il s'avisait d'avoir des visées peu honnêtes sur la nounou, le dilemme serait cornélien. Qui vaut-il mieux virer ? Un homme infidèle ou une perle déjà formée ?) Pour donner bonne conscience à sa paresse, il affirme qu'entre les deux, il ne trouve plus sa place. En réalité il a saisi le premier prétexte venu pour se laisser (enfin) aller à son penchant naturel : la dé-res-pon-sa-bi-li-sa-tion.

Coexistence pacifique

Augusta, Christelle, Edwige, Marie-Josée et consœurs... Les voir apparaître le matin sur le coup de huit ou neuf heures, quand toute la maison est depuis un bout de temps déjà plongée dans l'hystérie la plus collective, c'est comme une bouffée de printemps en hiver. Un p'tit coin de ciel bleu dans une tempête de neige. On ne leur dira jamais assez ce qu'on leur doit. Personne n'est parfait. Nous encore moins qu'elles et c'est ce qui nous mine. Mais c'est bien ainsi que nous la voulons. A notre image. Super-Madame-Proprette, jonglant avec balais, serpillières et Javel, le matin. Et SuperPédago doublure de SuperMamma, le reste du temps, pour initier les enfants aux joies de Pomme d'Api et de la pâte à modeler. Car de nos jours, la double domesticité (nurse et femme de ménage, le rêve...) se fait rare faute de moyens...

Entre elle et nous, les rapports sont loin d'être des plus simples. Nous avons mis du temps à nous habituer à cette coexistence pas très pacifique, à cette cohabitation bien plus ingouvernable qu'en politique, à cette vie à deux plus compliquée qu'une vie de couple. Ce ne fut pas facile. Troquer la solitude bénie de nos jeunes années (quand un studio-kitch' suffisait pour empiler bouquins, plantes, Teppaz, rêves et fiancés) contre une vie stable dans un deux-pièces cuis. (plus de bouquins, moins de plantes, quelques meubles, la télé, un seul fiancé et des tas de projets...), c'était déjà l'Aventure. Mais transporter le tout dans un cinq-pièces tt. conft., y rajouter un mari, des enfants, des chats, des chiens, un magnétoscope, des impôts à payer et par-dessus le marché une cinquième locataire qui pense, parle, cuisine, range, éduque différemment de nous, demande (en si peu de temps) une gymnastique mentale épuisante. Qui nous obsède bien plus qu'il ne faudrait.

On croyait tenir une maison et c'est une PME qu'on gère. Même avec une seule employée. Il faut remplir tous les emplois à la fois. Comptable, en se débattant tous les mois avec les bulletins de salaire, les 5,3 % à déduire d'on ne sait où, les Assedic, l'Urssaf, et tous ces mots barbares auxquels on n'a rien envie de comprendre. Chef du personnel, en se chargeant de régler tous ses problèmes du même nom : son mariage, ses papiers, sa carte de séjour, sa pilule, son divorce, ses histoires de cœur, ses maladies, ses chagrins divers et variés, sans compter le mal du pays pour les étrangères et l'apprentissage du français.

Madame est servie

Mais le rôle que nous assumons le moins facilement c'est celui de « patronne ». Sans toujours très bien — ou très vite — le réaliser, on est définitivement passées dans le camp des « Madame ». Comme notre mère et ses copines dont le côté bourgeois, il y a peu encore, nous exaspérait tant. Oui nous sommes devenues des « dames » pour de vrai qui donnent des ordres en partant le matin. Plutôt d'ailleurs des suggestions émises en douceur, avec force *« s'il vous plaît »* : la purée mixée fine d'Hadrien, le Stérogyl de Félicien, la chemise bleue de Monsieur... Mais nous avons un mal fou à intégrer ces habitudes nouvelles qui demandent pour s'y accoutumer une énergie hors du commun. Pour nous imposer, il nous faut ramer plus que de coutume.

Avec elles nous cultivons le paradoxe. Anciennes serves corvéables à merci nous-mêmes, nous nous sommes empressées, une fois nos chaînes brisées, de rejouer la fameuse dialectique du maître et de l'esclave. Les machos au poteau ? Les machas les remplacent. On rentre le soir crevées (comme il y a vingt ans ils rentraient) et on râle *in petto* (comme il y a vingt ans ils râlaient) parce qu'il y a de la poussière sur les plinthes et encore des pâtes — évidemment crues — à dîner, alors qu'elle n'a eu que *ça* à faire toute la sainte journée plus les enfants et le reste (comme il y a vingt ans nous on faisait).

Mais en fin de compte notre machisme reste plutôt modéré. Féminin en somme. Nous n'allons pas jusqu'au bout de nos énervements. Nos coups de gueule (quand il y en a) se font discrets. Car nous sommes devant elle souvent pusillanimes.

A l'extérieur rien ne nous embarrasse. Commander un staff de trente personnes : fastoche. Engueuler un type dont le boulot est bâclé : de la bibine. Passer nos journées à nous battre contre le monde entier : l'enfance de l'art. Mais franchi le seuil de la maison, c'est une autre femme qui pointe son nez. La tigresse redevient plus douce que l'agneau. Nous voici bébêtes, un peu lâches. Pas vraiment à l'aise dans nos charentaises en face de celle qui les chausse sans complexes quand nous ne sommes pas là. Nous sommes tiraillées entre le besoin de montrer notre autorité et la démission devant ce nouveau rôle que nous avons un certain mal à assumer.

La cause ? Pas besoin d'avoir lu tout Sigmund dans le texte pour le comprendre aisément. C'est la bonne vieille culpabilité des familles qui finit toujours par reprendre le dessus. On pense à la fois : ce qu'elle fait, je devrais le faire mais je n'aime pas (toujours) le faire. Elle s'occupe à MA place, de MA maison, de MES enfants, de MON mec, pendant que je cours au-dehors. Et elle se tape aussi le plus pénible alors que je récupère souvent le plus gratifiant...

Du coup notre ton péremptoire avec d'autres n'est plus de mise avec elle. Surtout après le week-end où débordées, épuisées, on se demande rêveusement comment cette perle se débrouille pour tenir la maison nickel et les enfants idem tout en gardant à peu près le sourire. Ce qui remet pour deux jours au moins les pendules à l'heure.

No woman's land

Très, très chère Augusta (Marie-Josée, Edwige...). Sa place est à part dans nos vies super-actives. Elle est notre doublure, notre clone, une autre nous-mêmes qu'on voudrait à la fois plus présente et moins là. Ni tout à fait une employée ni vraiment de la famille, elle vit chez nous sans y habiter tout à fait, occupe la place sans s'y installer. Cinq jours sur sept, dix heures par jour la maison est à elle. *Sa* cuisine, *sa* moquette, *son* linge, *son* repassage, *ses* carreaux...

Les canapés trente, le fauteuil Memphis, le sofa Napoléon III ou la table Le Corbusier, tout ce beau décor amoureusement planté, c'est elle qui en profite bien plus souvent que nous. Elle voit la maison toujours propre, comme nous ne la voyons presque jamais. Puisque nous n'avons pas, nous, le temps de la ranger le soir et le week-end.

Elle est le bon génie du logis qui donne au sweet home l'aspect que nous désirons qu'il ait. Draps bien empilés, vaisselle bien rangée, odeur d'encaustique ou de pot-au-feu qui mijote. Le vieux fantasme de la douceur du nid, rendu plus aigu encore par la culpabilité de ne pas y être (quoi qu'on dise, on y revient toujours...).

Mais le supplément d'âme, les détails raffinés (la bougie parfumée sur la table, la carafe de cristal, les fleurs, etc.) dont nous ne saurions nous passer, nous nous les réservons et luttons sans relâche pour les préserver.

Quand elle est là d'ailleurs, nous ne sommes plus chez

« nous ». Ni chez « elle » du reste. La maison devient un no woman's land. C'est l'ONU en permanence. L'équilibre de la survie. Il faut sans arrêt renégocier son territoire et ses prérogatives. Céder sur certains détails pour reprendre en douce l'avantage.

Elle préfère le vase bleu sur la cheminée alors que vous vous obstinez à le remettre tous les jours sur le buffet ? Pas de panique. Soit vous acceptez mais vous demeurez inflexibles sur la façon d'essorer les pulls ou de ranger votre bibliothèque. Soit vous gagnez mais il vous faudra à votre tour lâcher du lest. OK pour sa façon de plier les serviettes et pour son jour d'aspirateur. Pareil pour la télé (elle allume, on éteint), la radio (elle c'est NRJ, vous préférez Europe 1), etc. Reposant ? Pas vraiment. C'est une véritable stratégie de guerre larvée qu'elle nous oblige à mener. A côté, Clausewitz est un enfant de troupe. Elle est notre ordonnance d'accord, mais pas question pour nous autres générales de lui abandonner totalement le champ de bataille.

Entendons-nous bien. Elle ne fait pas totalement tourner la baraque. C'est bien nous qui, à la force de nos frêles poignets, avons mis en place la structure. Grâce à nous et à nous seules, la maison tient contre vents et marées. Les menus des enfants, le remplissage frigo (même par Minitel), le collant de Maud à remplacer, la cagoule de Hyacinthe à acheter, le cordonnier et le pressing, le plombier et le pédiatre, les conseils de classe et l'inscription au judo, les départs en train pour les classes de neige, la séc soc et le dentifrice : c'est nous, nous, nous et encore nous.

Un vieux couple

Comme au temps des cavernes nous chassons et elle garde le foyer. Elle sait ce que nous ne voulons même pas envisager d'apprendre, récurer une casserole brûlée, repasser une chemise sans faux pli. Tous ces trucs de bonnes femmes dont nous avons, en bloc, refusé d'hériter (sauf la cuisine qui reste NOTRE domaine, comme il est celui de certains hommes qui ne savent rien faire d'autre chez eux). En contrepartie nous apportons la technique, l'innovation à la maison : surgelés, micro-ondes, livraisons à domicile, lave-vaisselle, sèche-linge, etc.

Il faut bien l'admettre une bonne fois pour toutes. Augusta et nous finissons au bout de quelques mois de vie commune par former un vieux couple. Uni pour le meilleur et plus souvent pour le pire. Un de ces vieux ménages pleins de vieilles habitudes, de tics et d'agaceries mutuelles. Ce qui donne d'ailleurs de savoureux dialogues. ELLE : « Faut me nettoyer mon gaz quand vous faites la cuisine, sinon je peux plus le ravoir. » NOUS : « Je n'ai pas eu le temps, si vous saviez TOUT ce que j'ai fait ce week-end... A propos, vous avez pensé au bouton du chemisier de Joséphine ? »

Si nous restons ensemble, au fond, c'est pour les enfants... NOS enfants. La vraie raison de sa présence chez nous à plein temps. Avec eux, nous la désirons tendre, aimante, réconfortante (tout en triomphant discrètement quand c'est dans nos bras qu'ils ont envie d'être). Nous voulons qu'ils l'appellent nanny, tata, nounou, qu'elle les console, les gronde, dispense sparadrap et taloches, qu'elle les éduque en somme. Mais selon NOS principes.

Bien sûr, les petits monstres s'en donnent à cœur joie Notre duel — en sourdine — les enchante. Pour un peu, si on leur posait la question typiquement et bêtement parentale « Qui tu préfères, papa ou maman ? », ils répondraient « Augusta » rien que pour nous faire de la peine

Nous supportons mal (même si nous nous taisons) que Léonard fasse ses premiers pas devant elle, que Lambert termine sans broncher sa sole, méthodiquement recrachée quand c'est nous qui la donnons. Ou qu'elle nous dise lorsque Camille se roule par terre avec force hurlements : « C'est bizarre, avec moi, elle n'est jamais comme ça. » Heureux pères : ils ne connaissent pas leur chance de n'être pas le rival direct d'une nounou *toujours* parfaite. (Comme sa SW de patronne...)

La rougeole d'Augusta

Ses qualités ne nous sautent jamais tant aux yeux que lorsqu'elle est malade. Qu'un dimanche soir à neuf heures, le téléphone vienne troubler la paix de la maisonnée et qu'une voix enrouée vous annonce qu'elle a 40° et de gros boutons qui la démangent horriblement (rien à dire, c'est Hugo qui lui a refilé sa rougeole), et c'est le monde entier qui s'écroule. Un seul être vous manque et tout est dépeuplé. C'est dans ces moments-là que SuperWoman se rend tristement compte à quel point sa solitude est immense. Le NouveauPère ? Il a pris depuis longtemps la tangente. « Tu comprends, mon chéri, moi j'ai trois rendez-vous que je ne peux pas déplacer. J'essaie de rentrer tôt. Ah, ben non, impossible, j'ai Lemercier à sept heures. Il y a déjà un mois qu'on doit se voir. Bon je t'embrasse. Courage. On s'appelle. » Inutile de lui faire savoir par retour du courrier que votre Lemercier à vous, vous l'attendez depuis deux mois. Pas fier, mais rapide, il a déjà filé.

La grand-mère ? Elle travaille (voir plus haut). Les tantines, les voisines, les cousines ? Vous en connaissez, vous, disponibles au pied levé ? Baby-Service ou autres

Mamans-Cool ? Vraiment une solution de fortune. Le compteur tourne si vite qu'en une journée de leur garde vous claquez une semaine de la paye d'Augusta.

Vous voici au fond de l'horreur absolue.

Jusqu'au centième appel désespéré, où se profile la petite lueur d'espoir dans ce tunnel bien sombre. L'amie de la nounou de votre copine Linda est justement au chômage et accepte, dans sa grande bonté, de venir quelques jours seulement vous dépanner.

Débarque bien sûr à neuf heures moins deux (votre premier rancart est un quart d'heure plus tard), une oie blanche, à moitié demeurée qui, si elle a déjà gardé des enfants dans une vie antérieure, n'en conserve certainement qu'un souvenir très vague. Vous tremblez à l'idée de jeter l'innocent Charles-Edouard dans ses bras. (L'autre version étant une virago maussade qui dès le premier coup d'œil trouve la maison trop bordélique à son gré et ne vous l'envoie pas dire : « Que Madame me montre où se trouve ma blouse rayée. »)

Dans un cas comme dans l'autre ce sont six mois de vie commune avec Augusta, d'habitudes, de manies, anéantis d'un trait. Elle s'était accoutumée à vos défauts. Vous vous adaptiez aux siens. Vous l'aimiez d'amour reconnaissant, admettant enfin que sans elle vous ne pouviez plus vivre. Et voilà l'intruse, la nouvelle, à qui il faut tout réexpliquer en dix minutes chrono. Tout. Les couches et la Javel, l'aspirateur et les surgelés, l'adresse de l'école et le sirop du bébé. Ses hochements de tête vous font présager le pire. Un instant vous êtes tentée de rester. Et puis non, impossible. Vous avez déjà raté la moitié du premier rendez-vous, difficile d'abuser...

Quand vous refermez la porte derrière vous, avec les hurlements de Charles-Edouard en fond sonore, même si d'expérience vous savez qu'il va se calmer, vous sentez l'estomac qui forme des nœuds marins. Vous n'avez qu'une hâte : être déjà au soir. Bien sûr vous téléphonez toutes les heures, sous n'importe quel prétexte, pour vérifier que les chérubins sont encore en vie. (Seuls un manque de temps et un sursaut de fierté vous empêchent d'appeler toutes les dix minutes.) Votre imagination recense impitoyablement toutes les catastrophes possibles : ELLE l'a oublié à l'école, ELLE l'a noyé dans le bain, IL est tombé, IL s'est brûlé, ELLE est partie et LES a laissés seuls... Le grand cirque...

Vous rentrez enfin, plus tôt que prévu (le cœur en marmelade, vous avez bâclé les derniers rendez-vous). Oui, la maison est plus sale encore que dans vos plus sombres pressentiments. Oui, Charles-Edouard porte le pyjama de Marie-Sophie qui a « oublié » son blouson à l'école (par -10° dehors). Oui, leurs mains sont noirâtres, leurs cheveux pas lavés, ils ont mangé des pâtes « mieux crues que celles d'Augusta » annoncent les ingrats. Et Noémie, dix-huit mois, a été nourrie exclusivement au lait toute la journée alors que vous aviez amoureusement préparé sa purée le matin même à l'aube. Mais ils ont survécu. Sont entiers. Apparemment sans séquelles. Et miracle, Augusta revient demain. Sa « rougeole » n'était qu'une fausse alerte.

La chasse à la perle

Bienheureuse quand la grippe ne camoufle pas quelque chose de plus grave, dix jours, quinze jours, un mois d'arrêt... Ou encore une maladie diplomatique qui peut conduire au pire du pire : son départ.

Elle s'en va. Elle rentre chez sa mère ou bien elle se marie. Pendant un an, vous vous êtes tuée à lui apprendre la cuisson des pâtes (qu'elle faisait enfin al dente, mieux que vous-même), le rangement des legos dans le tiroir du haut et tous les autres détails indispensables à la bonne marche d'une famille nombreuse. Pendant des mois, vous vous êtes démenée pour lui procurer sa carte de séjour, vous baladant de préfectures en ambassades, multipliant les déjeuners avec les copains fonctionnaires bien placés. Et voilà qu'elle se tire. Sans l'ombre d'un remords. Ou presque. « Madame, c'est sûr, les petits vont me manquer. » Et à vous donc, elle ne va pas manquer ?

Vous voilà repartie, dans l'urgence, à la chasse à la perle, cet animal aussi mythique que le dahu ou le monstre du Loch-Ness. A vous les petites annonces, les bristols chez la boulangère, les longs conciliabules avec copines et collègues pour s'informer de la cote de la Normande (excellente), de la Philippine (en hausse), de la Marocaine (fine cuisinière). Très prisé : le nounou, sri-lankais de préférence, qui boucle ainsi sans le vouloir la boucle du matriarcat. L'homme de main tient la caverne et les enfants propres pendant que la patronne est partie chasser.

Quand les enfants grandissent, on pourra toujours opter pour l'autre solution, le mélange femme de ménage le matin, plus jeune fille au pair le soir. Avec la première, le dialogue sera réduit à sa plus simple expression. Elle arrive quand vous êtes depuis longtemps partie et quitte les lieux (bien plus propres qu'elle ne les a trouvés en entrant) avant votre retour. Ensemble, vous communiquez par téléphone pour les ordres urgents, mais votre média de prédilection reste les petits mots. A la longue les poulets doux se font de plus en plus succincts : « Maria, ranger vaisselle, changer l'eau des fleurs, et les draps, laver salade, légumes, litière du chat. » Réponse brève mais éloquente : « 25 heures à 35 F =875 F merci, bon week-end. »

La seconde, merveille le plus souvent importée des pays nordiques, est chez nous en pleine expansion. Pour une chambre à l'étage et un peu d'argent de poche, elle oubliera Elsa quinze mois dans le bain froid, transformera votre téléphone en standard pour Stockholm, vous piquera vos chaussures pour aller au Palace et se lèvera à une heure de l'après-midi parce qu'elle aura dansé toute la nuit. En prime, elle vous expliquera avec un rien de suffisance qu'en Suède on n'élève pas les enfants comme ça. Tout cela dans un français plus qu'hésitant dont vous vous sentirez obligée de corriger les fautes à chaque repas (qu'elle prend avec vous, en famille) puisque la pauvre petite est là pour apprendre.

La valse des nounous et autres gardiennes commence. Vous n'avez pas fini avec vos pas de deux. Maigre consolation, le temps que le petit dernier décroche son bac, vous n'aurez devant vous qu'une vingtaine d'années tout au plus avant de pouvoir vous passer d'auxiliaires de tout poil. A ce moment-là seulement vous pourrez enfin souffler.

S'il vous reste encore du souffle

VII

Week-end at home

> « Pour les familles qui travaillent, il est important de partager des occupations durant le week-end : aller à l'église, chez grand-maman, au cinéma, faire des courses, tout cela vous constituera plus tard d'agréables souvenirs. »
>
> T. Berry. BRAZELTON,
> *A ce soir,* Stock, 1986.

Un doux rêve

Pioncer. Ronfler. Ecraser. Roupiller. Dormiiiiiir. Une grasse matinée, rien qu'une fois dans la semaine. Une petite, toute petite. Deux heures de rab, pas plus. Ou alors une sieste. Pas très longue, non, mais profonde. Juste le temps de dire ouf et de s'enfoncer mollement, lentement, sous la couette comme si on se noyait dans un océan de plumes. Juste le temps d'oublier tout ce qu'on vient d'abattre. Et tout ce qu'il nous reste encore à entreprendre.

A vol d'oiseau, vu du haut de la semaine, le week-end est un mot magique pour une SuperWoman. Un mirage. Une oasis. Dans le métro toujours bondé, les embouteillages sur le périph' ou très tôt le matin quand le réveil s'annonce difficile, on imagine avec volupté deux journées de rêve comme savent si bien en inventer les magazines. Le brunch du samedi, « pour attaquer la journée du bon pied » : croissants ou pain complet, miel, œufs coque et jus d'orange servis comme à l'hôtel, au lit sur un plateau d'argent. Viennent ensuite le long bain moussant qui délasse, les crèmes de beauté qu'on s'étale pendant des heures à corps joie. Puis la flânerie aux Puces pour dénicher ce délicieux bonheur-du-jour-qui-irait-si-bien-dans-la-chambre. Ou la promenade sur les quais de la Seine pour compléter sa collection de vieux polars. Ou encore l'expo « Nouvelles Tendances » à Beaubourg. La séance de ciné à six heures avant la foule du soir. Le dîner-télé devant un vieux western loué pour l'occasion. La grasse matinée du dimanche ou le bol d'air obligatoire au bois.

Nostalgie, nostalgie... Ce programme idyllique c'était possible avant, il y a des lustres, quand nous n'avions à nous occuper que de nous-même et du chat (plus de quelques fiancés). Aujourd'hui les temps ont bien changé. Nous aussi. Et le week-end de rêve tournerait plutôt au cauchemar dans la réalité. Dès le samedi à l'aube, SuperWoman en survêt' et baskets est prête à affronter deux jours de décathlon.

Pourtant, pour une fois, on aimerait que les choses se passent en douceur. Relax. Sans stress et sans sprint. A la fois se détendre en célibataire, profiter de son homme en amoureux, rattraper en quarante-huit heures ces cinq jours passés loin des enfants (qui nous les font payer), aller au cinéma (si on met la main sur une baby-sitter) et rester malgré tout un être social en entamant avec les copains cette fameuse partie de *Trivial Pursuit* ou en s'invitant, la bouche en cœur, à déjeuner à cinq chez les parents.

Repos ? Qui a dit repos ?

Mais le calme n'existe que dans notre imagination. Et s'il s'installe, ce n'est que pour mieux annoncer la tempête. Nous carburons toutes voiles dehors malgré ce besoin intense de jeter l'ancre. Nous n'avons pas le choix. Le week- end est le seul moment de la semaine où nous pouvons enfin reprendre les choses en main. Redevenir propriétaires, seules maîtresses à bord du Sam' suffit.

Nous n'allons tout de même pas laisser passer cette occasion en or de re-jouer les femmes au foyer comblées. Et hystériques du samedi matin huit heures au dimanche soir onze heures. Car on termine, brisées, sur les rotules, encore plus fatiguées par deux jours de « repos » que par cinq de boulot. Plus hors service qu'une mauvaise balle ratée par Noah. Plus hachées menu que la côte d'agneau du bébé, passée au Magimix. Vivement lundi qu'on souffle enfin au bureau. Car à nos désirs familiaux et sociaux bien légitimes, il faut encore ajouter les tâches purement domestiques : le marché, la cuisine, les trois ou quatre courses in-dis-pen-sa-bles et pas-sion-nantes (remplacer l'abattant des WC). Et encore l'aspirateur à passer dans *les coins*, les rideaux neufs à poser (ils traînent au fond du placard depuis six mois) ou les trois tableaux à accrocher. Enfin les rangements de fond à lancer, de ceux que SuperNounou n'a pas le temps d'entreprendre (et que nous adorons : ah la volupté de virer les affaires d'hiver et de les remplacer par celles — trop serrées — de l'été).

Plus le travail perso, thèse, roman, bilan que nos soixante heures hebdo ne nous ont pas encore permis de boucler, les livres à commencer, les journaux à parcourir si on veut rester connectées à l'actualité (*Libé*, bien sûr, *Le Monde* forcément, plus les journaux féminins, une mine pour remonter le moral à la perspective de tout ce qu'il nous reste à acheter pour compléter notre garde-robe d'été), *La Redoute* et *Les Trois Suisses* à feuilleter en priorité (trois heures au minimum), les divers coups de fil perso à passer (Allô Sophie ? Allô Linda ? Allô Isabelle ?), les cassettes vidéo qui s'entassent et qu'on s'est bien juré de regarder (un jour...). Bref, cumuler, comme à notre-détestable-habitude.

Sans enfants ? Qu'à cela ne tienne. Il doit bien y avoir en plus de tout le reste un petit congrès de derrière les fagots qui nous pompera l'énergie deux jours durant, histoire de rentrer bien crevée le lundi au boulot. Ou des clients coréens à sortir pour faire d'une pierre deux coups : se gâcher la soirée du samedi parce qu'on est fatiguée, qu'on s'ennuie à mourir et que pour l'occasion on s'est brouillée avec son homme. Pas difficile de trouver mille et une occupations qui rendront ce sacro-saint week-end aussi éreintant que deux jours à casser des cailloux au fin fond d'un bagne à Cayenne...

Allon'z'enfants

... Avec enfants ? Bagne est un mot faible. Car pour tout arranger, nous tombons sur un handicap de taille, la SuperNounou n'est pas là pour aider. Il est juste qu'elle, *au moins*, se repose. (Certaines poussent le crime jusqu'à engager une nounou du week-end. Désastreux pour la culpabilité maternelle déjà bien titillée. Mais excellent pour le dodo à rattraper. D'autres plus timorées ou plus téméraires transigent au samedi matin, toujours pour cette question de grasse matinée en suspens...)

En fait, c'est surtout avec des enfants petits ou bébés, le style à rejouer sans se lasser « Nuits blanches pour une angine rouge » ou « Le bib' de six heures quarante-cinq est réclamé », que nous caressons ce rêve, hélas bien éveillé : se dégoter un créneau pour colmater (un peu) le gouffre béant des heures de sommeil qui nous manquent. Un petit somme, en somme. On ne réclame pas plus. Mais l'espoir d'arriver un week-end à nos fins est on ne peut plus mince.

D'accord, notre NouvelHomme adoré est en principe disponible pour nous soulager un brin. Mais entre le sacro-saint tennis du samedi matin, le match de rugby au Parc l'après-midi, la bagnole à faire réparer, les fenêtres de la chambre à calfeutrer ou les étagères de la salle de bains à poser (il y a déjà un mois que nous le tannons pour le faire), sans compter la lecture du *Monde* plus le supplément télé, il ne lui reste pas beaucoup de loisirs pour nous aider comme il le *devrait*. (S'il doit aller au marché, il se mettra en route juste à l'heure où les commerçants ferment et où les copains débarquent pour déjeuner.) Et comme il vient de travailler toute une semaine, le pauvre trésor est *vraiment* lessivé.

Rendons-lui cependant cette justice. Il lui arrive de s'occuper de SES enfants. Il accepte de donner le petit pot de quatre heures, de réparer la paire de patins à roulettes ou d'emmener Lola au cinéma voir le dernier Disney. Aux beaux jours on le retrouve au parc, poussant d'un pas alerte le landau (il se taille au bac à sable un succès en béton auprès des mères et des jeunes filles au pair. Qu'il provoque, du reste, éhontément en incitant froidement votre innocent Victor à piquer le ballon de la petite bouclée, celle qui a une si jolie maman). Ou couvrant en une heure chrono le parcours du combattant : guignol, manège, balançoires, canards, vélo, foot, etc. Il s'assure ainsi et d'un seul coup une cote d'enfer auprès des petits monstres.

Car une bonne fois pour toutes, il a pris le prudent

parti de se les concilier, en évitant les cris et les discussions inutiles. A lui donc, lorsqu'il consent, le lego, le château de cubes, la partie de ballon ou de sept familles, le match de foot regardé « entre hommes » ou les BD dévorées de concert.

A nous aussi, bien sûr, les livres d'images, les fous rires, le bain dans les éclaboussements, la casserole de chocolat fondu pour le gâteau, léchée par deux petites bouches gourmandes, les poupées qu'on habille et qu'on déshabille, le « dessine-moi une maison » ou « mets-moi le disque de Dorothée », les bisous, les câlins, les progrès, claironnés par Augusta et que nous constatons enfin par nous-même. C'est vrai que Jérémy dit « maman » (ouf, ça faisait deux mois déjà qu'il prononçait « papa »), que Léa sait écrire son nom presque toute seule, qu'Angélique boutonne elle-même son pantalon. Si nous craquons, c'est aussi d'émotion devant ces moments uniques. Heureusement. Car ce sont eux qui font tout le charme de ces deux jours vécus au rythme des chères têtes blondes.

Mère Fouettarde...

Bizarrement, dès le moment où les choses se gâtent, le NouveauPère s'évanouit dans la nature. Avec talent, il faut le reconnaître. OK, pour le partage des jeux dans la bonne humeur, pour les rires, la gaieté, les bousculades, mais quand qu'il s'agit de hausser le ton, la communication s'interrompt. On le retrouve aux abonnés absents. Le père-sévère manque de continuité. C'est à nous, Mères Fouettardes, de prendre le relais des « range ta chambre », « mange ta soupé », « lave-toi les dents ». Et c'est nous qui récoltons hurlements et grincements de dents. A notre corps défendant.

Car ces deux jours-là, nous n'avons pas envie d'être des empêcheuses de s'amuser en rond. Nous préférerions de loin gâtifier, faire plaisir, profiter de leur présence avec le sourire. Mais la mère exemplaire qui sommeille en chacune de nous reprend vite le dessus L'éducation, après tout, nous n'allons pas la laisser aux autres. D'autant que nous découvrons avec stupéfaction que les enfants modèles toute la semaine avec Augusta, ceux dont la maîtresse nous chante les louanges, dont les grands-parents ne tarissent pas d'éloges, sont en réalité de la graine de voyou. Avec nous. Pas question pour eux de nous lâcher les baskets.

Le week-end, nous sommes leur *chose* modelable à souhait. Ils nous font payer au centuple leur trop-plein de sagesse des cinq jours précédents. En s'exprimant par cris et chuichuinements de préférence, à l'extrême limite des décibels supportables. Ce qui donne toujours lieu à des batailles rangées dont le déroulement est à peu près le même. Premier tableau, les forces en présence. Un « au lit » prononcé d'une voix — qui se veut — autoritaire, face à quatre-vingt-dix-neuf centimètres d'insolence. Deuxième tableau, les menaces. Un classique « Tu vas avoir une fessée » auquel le petit monstre renvoie un non moins standard : « J'm'en fiche. » Troisième tableau, les représailles annoncées et les hurlements redoublés du petit martyr (heureusement que les voisins s'en foutent) qui trouve entre deux sanglots la force de nous narguer, « Ça fait même pas mal ». Fin du premier acte, on se précipite le cœur battant sur le dernier Dolto, histoire de bien s'enfoncer le couteau de la culpabilité dans la plaie. Commentaire des spectateurs, de la grand-mère qui n'en perd pas une : « Leur attitude est normale, les pov'chéris sont trop privés de toi le reste du temps » à la variante du grand-père : « Elle ne s'y prend pas bien avec eux. L'autorité se perd » C'est fou comme les grands-parents sont devenus de remarquables pédagogues, depuis qu'ils n'ont plus d'enfants à élever.

Zut pour la Mère Fouettarde. Alors qu'on n'a qu'une envie, la paix, qu'un désir, la visicn idyllique d'une famille ressoudée, harmonieuse, partageant aussi bien le pain autour de la table familiale, qu'au-dehors les mêmes (saines) occupations. .. La promenade au bois le dimanche, le thé chez grand-tante Simone, la visite en famille au musée d'Orsay....

... et aiguilleuse du ciel

Mais là encore, ce n'est qu'un beau rêve. Surtout avec les aînés. Car lorsque enfin ils dépassent l'affreux temps des caprices, ils sont moins fatigants certes, mais leurs exigences n'en demeurent pas moins hautes. Ils sont alors en âge de mener leur vie sans nous. Dehors. Mais à condition que nous servions de taxi. Nous ne sommes plus des tricoteuses mais des aiguilleuses. Du ciel. A côté de nous, les employés de la tour de contrôle de Roissy n'ont plus qu'à aller se rhabiller.

Outre leurs pensums scolaires, la disserte de Florent (« Vous avez déjà eu honte, racontez ») ou l'exposé de Loïc (« Mais m'man tu m'avais promis de me parler de la Bourse. Tout à l'heure, demande à ton père », « Il y connaît rien. ») plus les annexes incontournables, marchand de chaussures ou rendez-vous chez le dentiste, il nous faut leur manager un nombre quasi incalculable d'activités culturelles et sociales.

Cours de danse, leçon de piano, anniversaire de la meilleure copine, dernier Spielberg, tennis, Musée en herbe, déjeuner au Mac Do'... Nous passons d'un endroit à l'autre, un œil toujours vissé sur le cadran de la montre. Car ces chérubins ont leur autonomie. Leurs copains. Leurs hobbies, dont on leur a au fil des années allongé la liste pour mieux les épanouir (ÇA, c'est bien fait pour nous...). L'idée monstrueuse qu'ils puissent passer plus de cinq minutes tout seuls, sans rien avoir d'étourdissant à faire, nous effleure à peine le cerveau.

Nous les avons suffisamment poussés à jouer du violon ou à devenir ceinture noire de judo, pour qu'enfin nous récoltions les fruits de notre patience. Non seulement Muriel — par ailleurs première de sa classe — est la meilleure en gym, mais tous les samedis et souvent les dimanches, on se tape l'aller-retour Paris-Juvisy, Les Ullis ou Evry, où se déroulent les championnats minimes pour la coupe des « gazelles aériennes ». Evidemment nous n'en sommes pas peu fières. Mais pas question de rater une seule compétition, même en cas de force majeure, sous peine de passer pour une dénaturée.

Pendant ce temps, Elise va à sa leçon de flûte (« Elle progresse, dit le prof, elle est même très douée ») et vous n'auriez tout de même pas le cœur de priver la chère petite d'un cours à deux cents francs la demi-heure même si les horaires ressemblent de très loin à ce qui vous faciliterait la tâche... Neuf heures du mat', le dimanche à l'autre bout de la ville. Impossible de changer de prof. Après enquête serrée, on n'a trouvé que lui, *le meilleur* (et le plus cher) de sa catégorie.

Heureusement que Raphaël, le dernier, qui vient de commencer brillamment le foot, n'a pas encore l'âge des boums. Mais avec ses six ans, il est encore en plein dans le circuit anniversaires. Vous l'y conduisez régulièrement un samedi sur deux depuis qu'il a trois ans. C'est fou ce qu'il peut avoir comme copains et copines qui vieillissent chaque année... Et comme cadeaux à faire... En tout cas, leurs réjouissances vous laissent deux petites heures de répit. Que vous mettez immédiatement à profit pour accompagner ses sœurs chez leurs copines qui habitent à l'opposé. Le temps de faire l'aller-retour puis de recommencer en sens inverse et l'après-midi est déjà fini.

Joyeux (?) anniversaire mon chéri

Le manque de bol ? Quand votre tour revient pour la corvée anniversaire qui obligatoirement a lieu une fois l'an. (Multipliez par le nombre d'enfants, autant de samedis galère.) Car l'*happy birthday* pour vous n'est pas une partie de rigolade. Scientifique, méthodique et précise, vous ne laissez rien au hasard.

Au jour J, il ne manque ni un cotillon ni une guirlande ni un confetti achetés à prix d'or dans les boutiques de jouets bon ton, spécialement créées pour les Super-Mammas de votre espèce. Celles d'où l'on repart ruinées avec dans le sac en papier très chic à l'enseigne de « Mercredis et Roudoudous » ou autres « Nougatine et Caramel mou », écrit en ronde, à l'ancienne, des serpentins, des serviettes Mickey, des farces et attrapes et de menus joujoux inutiles, destinés à amuser des monstres blasés qui ne les regarderont même pas.

Avec jubilation, car pas totalement maso, vous y prenez quand même du plaisir, vous avez tout organisé vous-même. La pêche au trésor, la course de sacs, la séance de maquillage (qu'on retrouve à la fin en traces indélébiles sur la moquette). Et prévu de passer un Walt Disney au magnétoscope au cas où il y aurait cinq secondes de temps morts Sur la table décorée avec force Mickeys ou Goldoraks, vous avez préparé un goûter à écœurer Gargantua lui-même (et qui vous restera entièrement sur les bras). Des bébés brioches, des mini-pains au chocolat, des petits pains au lait fourrés au Nutella, du jus d'orange, du Coca sans caféine, des smarties, des nounours, des guimauves, tout plein de ces bonbons immondes et trop sucrés qu'en temps ordinaires vous vous efforcez de leur interdire et qu'aujourd'hui vous les forceriez presque à manger, tellement vous voudriez que la fête soit parfaite. Et bien sûr LE gâteau au chocolat, bien mou, bien collant, bien écrasable qui laissera un souvenir impérissable sur le canapé gris clair du salon.

Les quinze premières minutes, tout baigne. Les enfants sont charmants, leurs parents déjà repartis accompagner le reste de la tribu vers leurs activités favorites. Et puis, sans qu'on sache très bien pourquoi, l'horreur s'installe. La fin du monde. Vous ne maîtrisez rien malgré la baby-sitter embauchée en renfort. Ni votre fils qui refuse de prêter ses jouets. Ni les deux monstres qui se battent sur les lits superposés (celui du haut a leur préférence). Ni les sanglots du petit Kevin qui hoquette en réclamant son papa. Ni la blondinette qui vient de vomir sur le tapis de votre chambre.

Le NouveauPère, qui au départ n'était pas chaud-chaud pour la petite fiesta, a du mal lui aussi à faire face. Et finit par se réfugier dans SA chambre (celle qui sent le vomi) pour regarder le foot malgré vos exhortations.

Tout l'après-midi se déroule ainsi, comme un film d'épouvante passé en accéléré. Avec de temps en temps quelques visions charmantes. Votre petit poussin soufflant ses six bougies dans un chœur malhabile de « Joyeux anniversaire, Raphaël ». Et la blondinette blottie dans vos bras, à vie semble t-il, qui vous chuchote qu'elle aimerait vous avoir pour maman. Quand le dernier mouflet a enfin passé la porte en se retournant pour un ultime adieu à grands coups de « Merde —

merde et caca boudin » vous vous jurez bien que plus jamais… Jusqu'à l'année prochaine, au moins.

Grâce au ciel, se sont créées de petites sociétés spécialisées dans le goûter d'enfants, dont les jeunes gens, charmants au demeurant, mais plus business-business que vraiment efficaces, vous font payer au prix fort (mille francs environ la moitié d'après-midi) ce que l'école leur fait faire gratuitement le reste de la semaine : chants, jeux, comptines, dessins, déguisements et guignol…

Vers dix ans (déjà, comme le temps file), c'est une autre partie (de plaisir). La boum. Presque comme celles de votre adolescence (mais vous, vous aviez seize ans la première fois que papa a permis). Avec rideaux tirés, lumières tamisées et *leur* Top 50 qui massacre *votre* platine où vous passez amoureusement vos vieux Stones (eh oui, Mick Jagger a quarante balais) et vos Billy Joël.

C'est ce jour-là que vous découvrez horrifiée que la petite Camille, votre bébé, celle que vous avez à peine vue grandir, a un « fiancé ». Ce qu'elle peut bien fabriquer avec ce petit prétentieux (« C'est le premier en maths », annonce fièrement votre fille), à part échanger ses photos de minettes découpées dans *OK* ? Vous vous gardez bien de le lui demander. En plus vous détestez la mère. Elle a vraiment mauvais genre. En tout cas pas le vôtre. D'un seul coup, c'est quinze ans que vous venez de vous prendre en pleine figure.

Et ce n'est qu'un début. Car à mesure qu'ils deviennent eux-disant autonomes, vous n'avez pas fini de vous inquiéter. La pilule pour Clémence, c'est à douze ou treize ans ? Comment réagir si Edouard veut teindre sa touffe iroquois en vert ? Et le copain de Paul, celui avec le catogan et les douze anneaux dans l'oreille droite, est-ce vraiment un garçon fréquentable ? Sans compter les nuits blanches du samedi au dimanche, aussi longues que lorsqu'ils étaient tout bébés, à guetter le moindre vrombissement de mob' signifiant leur retour sains et saufs au bercail.

Allô maman lolo

Au fond, comment survivrions-nous les week-ends sans nos chères têtes blondes ? On s'ennuierait beaucoup. Après tout, insupportables ou pas, actifs ou sédentaires, nous ne sommes ici-bas que pour nous en occuper. Les amuser, d'accord. Les éduquer, passe encore. Mais il faut aussi les nourrir. Leur donner en deux jours le bon goût retrouvé de la cuisine maternelle. Celle qu'on n'oublie pas et qui fait écrire des chefs-d'œuvre sur une simple madeleine. Celle qui empoisonnera la vie de votre future bru quand votre petit Florent, devenu grand, lui lancera : « Tes endives au jambon, elles sont bonnes, mais pas tout à fait comme celles que nous préparait maman. »

Les plus courageuses (ou les plus cinglées) continuent sur leur folle lancée en virant les petits pots, donnés sans hésiter le reste de la semaine. Pour mitonner à leurs bébés (en général indifférents) de petites recettes exquises inventées par des chefs prétentieux qui ignorent tout d'un appétit d'enfant. Ces bouquins de cuisine très stylés aux titres alléchants (*Mon tout-petit sera un fin gourmet*) trônent dans toutes les bonnes cuisines. Et nous expliquent en long et en large que nous ne savons pas nourrir nos enfants qui, par notre faute, risquent à trois ans l'obésité, à cinq l'infarctus et, beaucoup plus grave, le goût gâté à jamais. Et allons-y pour les « Deux saumons aux trois purées, d'épinards frais, de concombre et de céleri ». Et pourquoi pas le « Flan d'aubergine au coulis de tomates épépinées » ? Comme si les petits monstres n'allaient pas recracher aussi sec les bons légumes destinés à leur affiner le palais pour réclamer en hurlant des pâtes, des frites, du ketchup et du jambon.

D'autres sophistiquent la difficulté. Comme celles qui cuisinent à tour de bras, blanquettes, poulets, etc. pour les congeler, car « les chers petits n'aiment que la cuisine de maman » (sous-entendu, celle d'Augusta, ou de la cantine, ils en ont soupé). Il y a aussi celles qui établissent au grain de maïs près, tous les menus de la semaine : « Mardi, vendredi, poisson ; lundi, jeudi, viande ; soir : soupe de légumes, œuf coque... » En évitant scrupuleusement les fautes de diététique.

Tout cela, bien sûr, dans le but plus ou moins avoué d'être présente à table, même en n'y étant pas... Le complexe évident de la mère au foyer. Bref, du pain sur la planche pour toutes celles qui trouvent qu'elles n'en font *toujours* pas assez. Et même les plus paresseuses ou les moins douées font aussi un effort pour habituer les chers petits aux bonnes choses, en achetant chez le traiteur du coin jambon à l'os, tourtes tièdes et plats mitonnés à l'ancienne....

Cuisine à l'ancienne

Car un des musts du week-end reste la bonne cuisine et l'art de la table. Qui commencent par le passage obligé au marché. Pas celui, prosaïque, de la grande surface, au pire bâclé en nocturne à Carrefour, au mieux commandé du bureau par Minitel ou par téléphone (ce qui donne parfois des dialogues surprenants, au sortir d'une réunion : « Allô, La Voix Express ? Je vous ai bien stipulé en vous appelant, pas de papier-toilette mauve.

J'en ai trente rouleaux sur les bras et je déteste ça. »). Ni celui des surgelés, vite commandés, vite livrés (quelle SW élèvera une statue à Picard, fournisseur hors-concours de la purée de légumes congelée et à son indispensable bras droit, l'inventeur du micro-ondes ?).

Non, le marché, le vrai, c'est celui des petits commerçants du quartier. Bon pain, pâtes fraîches, fromages affinés, fruits exotiques, légumes variés, viande achetée chez un boucher qui aime son métier, vrai café moulu à la dimension de la cafetière, fleurs... Le samedi matin, la maîtresse de maison exemplaire, soucieuse de donner le meilleur aux siens, l'emporte sur la râleuse grognant de se coltiner des sacs trop lourds.

Car SW aime aussi recevoir les copains, rendre des invitations et se lancer comme une grande dans le déchiffrage des fiches-cuisine de *Elle* ou de la cuisine quatre étoiles de Senderens ou Guérard. Sa table est réputée. Lotte aux petits oignons, tagliatelles au magret fumé, terrine d'avocats, mousse de poivrons, navets crus au haddock, foie gras maison, ou tout simplement pot-au feu des familles... Quel moment plus propice que le week-end pour préparer de petits plats délicieux qu'on mettra dans les grands, le soir même ? Ou trois jours plus tard grâce au congélo ? Ce qui nous permettra, nous les médecins, les avocates, les hautes-fonctionnaires, qui accomplissons tous les jours et sans sourciller de grandes choses dans nos existences, de rougir comme des bleues (cordon, de préférence) quand tous les invités en chœur s'extasieront sur nos talents de cuisinière.

Enfin seuls

Avec tout ça, il reste à peine quelques minutes entre la soirée télé du samedi et la soirée ciné du dimanche (ou l'inverse) pour s'occuper enfin de Lui, l'Unique, l'Elu, le compagnon du meilleur et du pire, celui que vous avez choisi un jour pour marcher à vos côtés mais qui a du mal à suivre le rythme depuis que vous galopez. Soyez honnêtes, entre les disputes, le marché, les disputes, les enfants, les disputes, l'aspirateur, les disputes, le tour au bois, les disputes, etc., vous aviez presque oublié que c'était un être humain qui vous servait de partenaire, quelqu'un à qui l'on puisse s'adresser calmement sans forcément lui hurler dans l'oreille, même si c'est la huit centième fois qu'il (vous) demande en tournant en rond « Mais où as-tu mis le sel... (le café, mes chaussettes, les clés de ma voiture, le tournevis, etc.) ? »

Déjà, toute la semaine entre sept heures du matin et huit heures du soir vous vous êtes croisès, vos horaires n'étant pas les mêmes. A peine un petit coup de fil : « Toi ça va ? Moi ça va. Alors à tout à l'heure, je t'embrasse. » Et après le boulot, entre les dîners en ville, les dîners d'affaires, ses matches de foot ou votre « Apostrophes » hebdomadaire, sans compter la cérémonie du coucher (des enfants), vous n'avez pas beaucoup de temps de reste pour communiquer vos pensées profondes, autres que « faudra pas oublier de payer l'assurance » ou « téléphone à ta mère pour lui demander de garder les enfants demain ». Tout juste si vous avez un peu de force en rab pour le bonsoir du soir avec l'espoir qu'il n'ait pas une vieille idée derrière la tête parce que demain matin le réveil sonnera dès l'aube.

Donc, tous les deux vous comptez sans trop y croire sur le week-end pour vous refaire un couple. Pas de panique, on y arrive. Les grandes discussions métaphysiques (« Est-ce qu'on baptise le petit pour faire plaisir à ton père ? »), projets d'avenir (« Où on va en vacances ? »), déclarations en tout genre (« Tu m'aimes ? Dis-le-moi, alors »), trouvent parfaitement leur place entre « Champs-Elysées » et « Droit de réponse ». Quant aux petits câlins, ciment de tout couple qui se respecte, il suffit de calculer avec soin son coup pour que la sieste (crapuleuse) du samedi tombe juste pendant celle bien méritée des petits anges, ou le feuilleton préféré des aînés.

L'érotisme dans tout ça ? C'est une autre paire de (di) manches.

VIII

SuperWomen et supersexe

« L'amour propre ne le reste jamais très longtemps. »
Martin VEYRON.

Kim Basinger, même chez le boucher...

Sexy, de la pointe du talon (aiguille) au bout de la bretelle de son caraco de soie, elle assortit son porte-jarretelles taupe à son soutien-gorge pigeonnant, qui dessine une poitrine parfaite sous le body ultra-moulant. Le week-end, un vieux jean serré juste ce qu'il faut sur des fesses impeccables et un grand pull vague dénudant savamment l'épaule lui donnent un air négligemment excitant.

Plus troublante que la fiancée préférée de SAS, plus sensuelle qu'une princesse des Mille et Une Nuits, plus torride que Kim Basinger dans *Neuf semaines et demie* (à condition de rencontrer tous les jours un Mickey Rourke), SuperWoman est une bête de sexe, une bombe anatomique qui joue de son charme et de sa séduction avec insolence et aplomb.

En toutes circonstances, même au métro Nation à six heures du soir, même devant la caisse du boucher pour payer ses cinq biftecks dans l'araignée, même à la creche pour déposer Valentine, elle est là, le nez en l'air, guettant au moindre signe l'Aventure qui passe, prête à tout lâcher pour suivre l'Inconnu (en dehors des heures ouvrables).

Enfant de Marilyn et de la pilule, cela fait belle lurette qu'elle a lu tous les livres et que sa chair n'est plus triste. A présent que l'orgasme obligatoire est remboursé par la Séc soc, elle en réclame sa part quotidienne. A l'homme de sa vie et à ceux de passage. Même le Sida ne lui fait pas peur. Elle ne sort plus jamais sans préservatifs dans le sac, et s'il le faut ira jusqu'à réinventer les règles d'une Nouvelle Fidélité. Bref, femme libre, libérée, libertine, libidineuse, SW s'éclate dans tous les endroits que la morale approuve : le lit conjugal ou le tapis du salon. Plus quelques autres, moins licites, qui traînent dans leur sillage le trouble parfum de l'adultère... Le Ritz de cinq à sept, le train de nuit Paris-Milan en wagon-lit ou les toilettes du Concorde, au retour d'une conférence donnée à New York.

Ça, c'est la théorie.

Le drame c'est que pour conserver, là aussi, 20/20 comme dans les autres matières, il lui faut drôlement s'accrocher. Pas si simple d'être en même temps maîtresse et maîtresse-femme, grande amoureuse et mère de famille nombreuse, cerveau et paire de fesses, musclées de préférence. Passé un certain âge et vu toutes les responsabilités qui lui tombent sur la tête, la tendance naturelle pour SW serait plutôt de renoncer. Même s'il lui en coûte. Car la tâche s'annonce rude.

SuperCélibataires : un cocktail délicat

Pour les solitaires, provisoires ou épisodiques — nombreuses sur le marché —, il faut à chaque Rencontre recommencer le cirque, le grand jeu de la séduction. De plus en plus incertain par ces temps de frilosité masculine. Car depuis que les femmes ont pris la direction des opérations amoureuses, les hommes sont devenus d'une passivité frôlant la catalepsie. Ils se laissent draguer du bout des lèvres, se réservant le privilège comme les empereurs romains de lever ou d'abaisser le pouce, selon leur humeur du moment. En haut : « D'accord, on va se la boire cette dernière Tequila chez toi. » En bas : « Allez, je me sauve. Demain je me lève aux aurores. » Tout juste s'ils ne prétextent pas la migraine, comme les pucelles effarouchées d'autrefois.

C'est à leurs compagnes désormais qu'incombent les grandes manœuvres sur le champ de bataille. Le haut commandement du début à la fin. Les travaux d'approche : « Désolée, j'ai renversé mon verre de champ' sur vos Weston. » La stratégie d'attaque : « Ce cocktail est assommant. Je connais un petit restau japonais à deux pas d'ici qui sert les meilleurs sushis de Paris. » Le placement des pions : « Comme le dit mon agent de change... » La charge de la Brigade légère : « Non, non, laissez, c'est *mon* territoire, je tiens à vous inviter. » Et enfin l'estocade : « J'habite un loft à la Bastille, aménagé par Starck. Ça vous dit d'essayer le canapé qu'il m'a dessiné ? » A peine s'il nous reste après ce morceau de bravoure la force d'être, au lit, à la hauteur de nos promesses. Et de leurs espérances. Là aussi, la partie doit se jouer fine. Demeurer une SuperWoman jusque dans le plus tendre abandon leur flanque une trouille monstre, car les pauvres chéris ne supportent pas au fond, et surtout dans ces moments-là, que d'autres qu'eux aient des couilles.

Suggérer des caresses très précises : « J'adore qu'on me léchouille les doigts de pied », ou d'entrée de jeu lui montrer son point G, car le cher ange ne l'aurait jamais trouvé lui-même (en admettant qu'il en ait un jour entendu parler), demander d'un ton détaché s'il pratique le « bondage », ou lui rappeler avec une mine gourmande la scène du beurre dans *le Dernier Tango à Paris*, risque fort de le conduire à la débandade généralisée. Au mieux, il fuit dans le quart d'heure. Au pire, il est impuissant toute la nuit. (Comme ce garçon, charmant au demeurant, mais un peu emprunté avant même tout préliminaire, qu'une SW au sortir de la salle de bains, nue sous son peignoir, retrouva allongé sur le lit MAIS cadenassé à double tour dans son imperméable...)

Si au contraire SuperWoman, au pieu, se déballonne et se transforme en petite fleur fragile, friande de câlins douillets, de bisous mouillés, de dodo dans de grands bras musclés, préférant la tendresse épaisse à la baise déchaînée, c'est à coup sûr la Bérésina qui s'annonce. Passé treize ans et demi, la femme-enfant n'est plus une bonne affaire.

Alors il faut tricher. Doser les ingrédients. S'adapter à l'humeur ambiante. Mettre du piment dans son baby-doll. Mâtiner la panthère noire d'une Lolita sucrée. Surtout se garder d'être soi-même, sous peine de tout faire foirer. Ce qui donne à l'amour un petit air de contrat d'affaires. La « chose » une fois conclue, soulagées on décompresse. Il est temps d'aller se coucher. Surtout que le réveil va bientôt sonner.

Qu'on additionne plusieurs fois par semaine (ou par mois, selon les occasions) ces petites rigolades (car le bon mec, la bonne pointure qui fera de l'usage ne se trouve plus, ou rarement, dès le premier regard) et on finit un beau jour par ne plus du tout supporter d'être une bombe sexuelle toujours sur le point d'exploser. On en vient à préférer, pour une soirée ou pour la vie, la compagnie de son chat, de Dallas, de ses opéras de Mozart, ou des œuvres complètes de Dashiell Hammett. Qui eux au moins se fichent éperdument que vous trainiez en maxi T-shirt Mickey plutôt qu'en déshabillé pure soie Pascale Madonna (ou l'inverse). Seule, OK. Mais tellement tranquille...

Le Couple avec un grand C

Surtout ne pas croire que pour une SW, le modèle standard, l'étalon-or, le Couple avec un grand C, soit plus facile à gérer que le célibat choisi ou subi. C'est bien plus contraignant au contraire. Surtout à une époque où grandes orgues et doux nœuds conjugaux sont de plus en plus relégués au placard avec les accessoires démodés.

Car l'échec pour une SuperWoman est insupportable. Surtout lorsqu'il s'agit de sa vie privée. C'est aussi à cette réussite-là qu'elle mesure son degré de triomphe. Quand elle y est parvenue, de haute lutte, la bataille est sévère pour garder le bon cap. SW y travaille d'arrache-pied. Elle refuse qu'on dise d'elle : « T'as vu Machine ? D'accord, elle a augmenté de 30 % le chiffre d'affaires de son usine de chaussettes, mais elle est toute seule, le soir, quand elle rentre. » Elle s'emploie même à l'exact contraire, quitte à éveiller les jalousies qui sommeillent : « Oh là là, Machine, non seulement son usine de chaussettes marche du feu de Dieu, mais en plus elle a un mec génial et des enfants au poil. »

Car selon l'adage superwomanien bien connu, il vaut mieux faire envie sur tous les tableaux que pitié même sur un seul. Alors SW se bat comme une tigresse pour préserver son bien-être personnel. Elle y tient. Même quand aujourd'hui, gagnant largement de quoi entretenir sa nombreuse couvée et sa propre personne, elle peut claquer la porte du jour au lendemain sans craindre les lendemains qui déchantent. Mais comme selon le vieux principe de la dissuasion nucléaire, si les deux forces en présence possèdent l'arme suprême, ni l'une ni l'autre n'a interêt à lâcher la sienne, SW prépare d'abord la paix avant d'envisager la guerre.

Donc, SW lutte pour le bonheur de son couple et partant, le sien propre. Un combat qui ne supporte pas de relâche. Car elle doit concilier à la fois son goût de la sécurité et son besoin de risque. Son envie de pantoufles brodées main, portées au coin du feu, et d'érotisme effréné avec le Bel Aventurier rencontré dans l'ascenseur. A tout instant il doit se passer quelque chose au rayon sentiments. Pour se prouver qu'elle plaît encore. Que le grand frisson de la liberté lui reste chevillé au corps. Et qu'elle peut toujours lire le désir qui gronde dans les yeux de tous les hommes et du sien.

Chienne en rut après la blanquette

Mais en même temps, quelle fatigue...

Pour nos grand-mères, c'était simple. Epouses admirables, mères aimantes, déesses bienveillantes du foyer... et la suite en points de suspension. La gaudriole, y avait des maisons pour ça. Surtout après quelques années de mariage. Aujourd'hui que bobonne porte elle aussi à ses heures des bas résille, elle doit se transformer en chienne en chaleur après la mise en route du lave-vaisselle pour la nuit. En hétaïre entre deux réveils nocturnes de Toto qui cauchemarde. En salope insatiable après la projection, en famille, de *Fais-moi tout*, cassette inoubliable louée au vidéo-club du coin. En oubliant d'un seul coup, d'un seul, la fatigue, le stress, les impôts, le boulot, et tous les petits soucis qui finissent par vous déconcentrer sérieusement une femme. Même une SuperWoman.

Il faut être sérieusement motivée pour jouer ce grand jeu-là en permanence. La danse des sept voiles est difficile à chorégraphier en charentaises. L'érotisme façon *Histoire d'O* après la blanquette de veau du dîner demande une sacrée dose d'amour. Et d'imagination. La fièvre amoureuse du samedi soir, parce que demain c'est grasse matinée, finit par lasser les mieux intentionnées. Et insensiblement, malgré des débuts passionnés (avec Lui ce fut le coup de foudre), on s'endort le soir, le nez sur la page économique du *Monde*. En chaussettes de laine et pyjama de pilou au lieu et place des dessous arachnéens exhibés au début, quand LUI plaire était encore chez nous une seconde nature.

On commence comme ça et on se retrouve un matin tous les deux, tout nus dans la salle de bains, à regarder d'un œil torve cuisses ramollo et brioche pas même croustillante. En se demandant comment, au nom du Ciel, nous avons pu un jour faire *ça* ensemble. Le dialogue par avocats interposés n'est plus très loin. Car lorsque la libido domestique ne va pas, rien ne va. Toutes les conseillères conjugales vous le confirmeront.

Avant d'en arriver à de si tristes extrémités, il faut prendre le taureau par les cornes. Pour sauver son couple, tous les moyens sont bons. Même les plus extrêmes. Et SuperWoman, en brave petit soldat, va s'y employer. Les solutions ? Elles ne courent pas les rues Au fond, il y en a deux.

Fidèle, fidèle..

La première, la plus simple, la moins fatigante et en ces temps difficiles où gronde le Sida, beaucoup moins dangereuse, c'est transformer son mari en amant. Comme dans les best-sellers américains en douze chapitres du type : « Oubliez qu'il ronfle la nuit et suggérez-lui de changer de pyjama. » Dîners aux chandelles, télégrammes enflammés... Après tout, Il en vaut bien un Autre. Les petits week-ends en amoureux à Prague ou Vaison-la-Romaine se passeraient désormais entre M. et Mme Henri Dupont (on pourra toujours retirer son alliance avant de remplir sa fiche d'hôtel pour donner un peu de piment à la chose).

Pareil pour les après-midi clandestines à consommer exclusivement avec le légitime (vous imaginez la tête de votre meilleur ami quand vous lui demanderez les clés de sa garçonnière « Pour Riri et Moi » ?). C'est, si on y parvient, l'idéal à atteindre. Car le « petit coup sans importance », pour les gens mariés comme pour les célibataires, de moralement (peu) répréhensible, va devenir physiquement de la haute voltige tant qu'on n'aura pas enfin mis la main sur le fameux vaccin anti-Sida. (Le retour au bon vieux préservatif de Papy ne soulevant pas l'enthousiasme immodéré de tous et de toutes pour le moment.)

L'amant : durasse...

L'autre solution consiste, pour mettre un peu de caviar sur le pain conjugal quotidien, à prendre un amant. En tout bien tout honneur. Uniquement pour la sauvegarde du ménage. Le petit coup de canif dans le contrat, loin d'être un drame, est tout bénef pour la communauté. Un, notre humeur s'améliore, donc la sienne. Deux, à peine sortie du rendez-vous adultère, pour effacer la culpabilité tout de même bien ancrée en nous, et histoire d'endormir les soupçons de la partie adverse (une femme qui trompe son mari l'après-midi aurait-elle l'audace de faire l'amour avec lui le soir même ?), on se refrotte aussi sec au lit matrimonial. Ce qui nous mène tout naturellement au résultat espéré.

Cela dit, un vrai amant, ce n'est pas si facile. D'accord, souvent il n'y a pas d'autre issue. Outre la volonté toute à notre honneur de cimenter son couple, nous avons aussi des raisons impérieuses pour en arriver là. Quand on en a marre de se trouver belle toute seule devant son miroir, parce que l'autre ne vous regarde plus. Ou quand on flippe sur la ride qui nous arrive trop vite sur le coin du visage. Ou après la naissance d'un enfant, quand on vient d'en prendre d'un seul coup pour dix ans (le baby blues mène souvent très loin). Et aussi par narcissisme, amour de soi, chatouillis de l'ego, pour s'entendre dire encore et toujours qu'on reste la plus belle.

Toutes ces raisons l'emportent sur le simple bon sens. Car des obstacles majeurs se dressent sur le chemin de la SW infidèle.

Où, quand, comment et qui ?

Où rencontrer l'amant ? Bon, ça ce n'est pas un problème. Toute occasion qui fait la larronne est bonne à prendre. Cocktails, avions, trains, conférences, rendez-vous de boulot, etc. Les SW n'ont ici que l'embarras du choix.

Justement, qui choisir ? Eviter les copains du mari, paraît découler du bon sens le plus élémentaire. Mais entre les clients, les collègues (fuir comme la peste une love affaire suivie dans son service), les relations de boulot, etc., statistiquement, il y a de quoi faire.

Non, c'est le temps surtout qui nous manque. QUAND le voir ? Où le caser dans les pages du Super-Agenda surbooké ? (Au fond, si SW est souvent sage, ce n'est pas par haute moralité, mais pour s'épargner un marathon de plus.) L'heure du déjeuner à la va-vite ? Ou les cinq à sept bousculés ? Difficile de faire dans la passion brûlante, l'œil fixé sur la montre. Les dîners d'affaires ? Oui, mais impossible de les multiplier, pas plus que les voyages du même nom. Ça ferait tout de suite suspect.

Mais admettons que le temps, on le trouve. Une heure tous les quinze jours. Bien mince, mais ça ira. L'autre question est OÙ ? Chez lui ? Il est fort opportunément nanti d'une famille, ce qui réduit d'autant les risques de dérapage incontrolé, du genre : « Je t'aime, quitte tout pour moi. » Là au moins, il sait par expérience qu'on ne bouscule pas cinq ou dix ans de vie commune pour une banale histoire de fesse (même si les nôtres sont loin de l'être...).

Chez nous ? Même topo. Et même s'il n'y avait exceptionnellement personne, mari et enfants au ski, nounou chez sa mère, l'idée de souiller le lit conjugal devant la photo de Thomas et Marine nous donne, à défaut du grand, des petits frissons dans le dos. (Eux sont moins pointilleux. Ils nous prêteraient même le peignoir en éponge de leur femme, imprégné de son odeur, si on a un peu froid en sortant de la douche.)

L'hôtel ? Seuls le Crillon, le Plaza ou le Ritz sont supportables pour un adultère de ce type. Mais ruineux si on mène une cadence effrénée. Le deux étoiles semble tout de suite minable. Rien de plus sinistre qu'une tromperie sans moyens. Mais admettons que ces obstacles-là aussi vous les ayez, à la force du poignet, surmontés....

Le flacon et l'ivresse

Viennent enfin le Jour et l'Heure tant attendus du rendez-vous. Dès l'aube vous êtes sur votre trente et un. Chanel n° 5 des grandes occasions (celles où on ne porte rien d'autre pour dormir). Combinaison exquise d'un pêche divin pour le teint et culotte « tanga » assortie. Jambes et aisselles épilées à la cire et au millième de poil près (ce que vous n'avez jamais le temps de faire, sinon au rasoir, pour votre mari). Maquillage léger, mais tenace. Jupe droite, qui met en valeur vos jambes parfaites, ou pantalon ajusté si le point clé de votre silhouette se situe plutôt du côté postérieur.

Bref, la perfection faite femme mais étudiée de façon très subtile pour éviter, en partant tôt le matin, des questions embarrassantes : « Tiens, tu t'es maquillée aujourd'hui ? »

C'est à treize heures que vous devez vous voir, au bar de l'hôtel La Trémoille. Et vous avez du mal à vous concentrer sur le rapport en trois exemplaires à remettre de toute urgence au patron. Vingt fois, vous êtes tentée de tout décommander, trouvant la situation ridicule. Vingt fois vous vous reprenez, parce vous détestez pardessus tout vous dégonfler. Enfin, l'heure fatidique arrive. (C'est en général à ce moment précis que la conférence impromptue s'annonce, ou qu'Augusta téléphone affolée pour vous annoncer que Louise a 40° de fièvre et qu'elle vient de vomir tout son déjeuner... Entre devoir et plaisir, le choix s'annonce délicat...)

Mais exceptionnellement ce jour-là, la route est dégagée, le temps au beau fixe et le moral aussi.

C'est votre premier rendez-vous avec lui. A l'hôtel. Il vous attend dans le salon, l'air dégagé. Il a dans sa poche les clés de la chambre. En cinq secondes vous remarquez que son costume lui va bien mais que la cravate rayée rouge et vert est affreuse. Ou que sa nouvelle coupe de cheveux lui décolle horriblement les oreilles. (Lui aussi, il s'est mis en frais.) Déjà, il vous plaît moins. Vous dégoûterait presque. Mais il vous effleure les lèvres et soudain vous fondez. En tremblant à l'idée que quelqu'un vous reconnaisse. Heureusement dans l'ascenseur vous ne croisez personne, sauf la femme de chambre dont vous sentez bien que le regard, posé sur vous avec insistance, est très réprobateur.

La chambre est petite et meublée avec goût. Troublée plus qu'il ne faudrait, vous ne remarquez rien sauf le lit qui vous semble immense, obscène, emplissant toute la pièce. Vous ouvrez la bouche pour lancer quelque trait d'esprit avec l'humour qui vous caractérise (évitez « Ciel mon mari », ici très déplacé). Vous vous sentez de plus en plus tendue. Et une horrible envie de faire pipi vous tenaille (c'est l'émotion, chez vous).

Il est derrière vous. Très classe, il vous embrasse dans le cou. Sur l'épaule. Dit qu'il adore votre parfum, votre peau et qu'au lieu de parler, vous seriez mieux au lit. Vous foncez direction la salle de bains, faisant abondamment couler l'eau du robinet pour dissimuler le fracas de la chasse (qui vous semble inconciliable avec une future scène d'amour torride).

Et c'est parti pour une heure, montre en main, de baise momolle ou effrénée selon l'état et les capacités de votre partenaire. Là, tous les cas de figure sont permis. Le plus grave étant celui qui vous emmène au septième ciel et vous laisse planer plus qu'il n'est raisonnable. (Le risque d'accoutumance devient alors sérieux. En cas d'overdose, la rupture ne sera pas aisée.)

Souvent, ce n'est ni très bien, ni très bon, surtout la première fois. Mais au grand jamais vous ne vous l'avouerez. Enfin pas tout de suite. Car dans ce cas précis, qu'importe l'ivresse, pourvu qu'on ait le flacon..

DEUXIÈME PARTIE

La faute à...

Nous voilà donc dans de beaux draps. Mais après tout ma fille, aurait dit ma grand-mère, cette existence à mille à l'heure, cette course sans fin, c'est toi qui l'a voulue. Toi et tes pareilles que la vie au départ n'avait pas destinées à être au premier plan. C'est toi qui l'a cherchée cette libération. Alors que tu aurais pu rester peinarde au foyer à t'occuper des tiens, ton mari, tes petits, qui ont besoin de toi... Personne ne t'a demandé de te battre comme un homme tout en restant une femme... S'il y a une responsable, ne t'en prends qu'à toi...

Minute, grand-maman. C'est vrai que nous sommes fautives. Mais pas dans le sens où tu crois. Notre plus grand tort c'est de les avoir écoutés et de les écouter encore, les autres, ceux qui nous ont embarquées dans la galère et qui nous y font ramer. Les féministes qu'on a suivies de toute notre âme, et qui nous ont abandonnées en plein milieu de la course. Les hommes, sur lesquels on a tant compté pour faire avancer notre cause, sur lesquels on a essayé de nous reposer de l'éducation des enfants et des charges de la maison. Et qui après avoir répondu (mollement) à l'appel ont fini par s'inscrire aux abonnés absents. La pub ou les Mauvais Exemples qui tentent de nous persuader que la Perfection est de ce monde.

Notre seul tort, disais-je, c'est d'avoir cru à tous ces boniments et d'y avoir adhéré de tout notre être. Victimes ? Oui, nous le sommes. Des autres et la liste est longue. De nous-mêmes aussi. Car nous avons été diablement consentantes. Et nous sommes sans doute, avec notre rage de vaincre, les pires de nos esclavagistes.

I

La faute aux féministes

> « En écoutant ma fille et sa génération, je me suis rendu compte que quelque chose clochait. J'ai perçu une amertume grandissante, une accusation non formulée. "Vous nous avez imposé des buts difficiles à atteindre. Et que faire de nos autres aspirations ?" »
>
> Betty FRIEDAN, mai 1982.

Les femâles

On ne naît pas SuperWoman.

On le devient.

Après les années MLF, on a cru inventer une nouvelle race de femmes, sorties comme par miracle de la baguette magique des féministes, ces apprenties sorcières des années 60-70. Liberté, égalité, féminité, c'était l'évidence même. Plus jamais on ne serait comme nos mères et nos grand-mères. La ménagère accomplie coincée entre marmots et marmelades et qui lorsqu'elle entendait le mot « libérer » sortait son Moulinex ? Non merci, désormais très peu pour nous. La travailleuse se coltinant après ses huit heures d'un boulot palpitant (piquer des ourlets à la chaîne ou taper des factures à n'en plus savoir compter) les enfants à torcher, la maison à briquer et l'Homme à servir et honorer ? Pas ça non plus. La Vraie Vie était Ailleurs.

Grâce au ciel et à des années de lutte serrée pour balayer les moutons noirs du sexisme devant notre porte, on était sûres d'être arrivées à bon port. Même s'il nous restait encore du boulot sur la planche. Grisant d'être enfin adultes, bouleversant de se sentir enfin reconnues...

Seulement le résultat a été bizarre. Pas si brillant qu'on l'espérait. Et à certains égards carrément l'inverse de ce qu'on attendait. Du coup, nous voilà encore moins bien loties que nos dignes aïeules.

D'un côté, héritières d'archaïsmes dont nos prétendues libératrices n'ont pas su (ni pu) nous débarrasser : *bonnes mères, bonnes épouses, bonnes maîtresses de maison.* Bref, le bon vieux boulot de bonnes femmes quasiment inchangé depuis l'éternité, même au temps des mères porteuses et du micro-ondes.

De l'autre, prisonnières des diktats imposés par *la carrière, l'ambition, le sexe*, ces nouvelles normes piquées aux hommes grâce au combat acharné de nos sœurs féministes. (Mauvaises couturières, elles ont juste « oublié » de les adapter à nos mesures.)

Et on se retrouve encore piégées.

A cause de VOUS. Toutes. Ô grandes prêtresses de la Libération-Féministe-et-De-Tout-Ce-Qui-S'ensuivit, vous n'avez vraiment pas de quoi pavoiser. Tout ce qui nous arrive est bel est bien de votre faute. Qui a dit : « Seul un travail créateur permet à la femme (aussi bien qu'à l'homme) de se reconnaître en tant qu'être humain*. » Qui a écrit : « Finalement, la frigidité ou les

* Betty FRIEDAN, *la Femme mystifiée*, Denoël-Gonthier, 1964.

problèmes sexuels n'étaient qu'un sous-produit de la méconnaissance d'un besoin aussi fondamental que l'amour : le besoin de s'accomplir »* ? Qui a enfoncé en nous le clou de l'insoumission à notre triste condition d'objet ? Qui nous a poussées à nous réaliser ? Vous nous avez persuadées que nous étions géniales, formidables, que nous devions faire aussi bien que les hommes et sinon mieux. Le pire, c'est qu'on vous a crues...

Vingt siècles d'Oppression plus vingt ans de Libération ont donné la formule mathématique de la Femme Parfaite. *Femme-Femme + Femme-Homme = SuperWoman.* A cause de VOUS Simone, Kate, Germaine, Betty, Benoîte, Gisèle** et les autres, nous sommes devenues des êtres hybrides, des femâles, dures et tendres à la fois, un bizarre compromis entre l'ange (gardien du foyer) et la bête (de somme).

Aujourd'hui, le bilan est lourd. Non seulement VOUS ne nous avez pas pas délivrées de nos chaînes, mais VOUS nous en avez rajouté d'autres, aussi pesantes à porter. A nous de nous en débrouiller.

D'autant plus qu'une fois la machine emballée et pas prête à freiner, vous avez toutes retourné vos vestes, prônant le retour à la famille, au foyer, à la chasteté, etc., le genre « il n'y a que les imbéciles qui ne changent pas d'avis ». Fastoche, maintenant que tout le mâle est fait... Par votre très grande faute, on s'est retrouvées coincées. Car nous qui avons mis en pratique toutes vos théories, nous qui agissions pendant que vous pensiez, on ne peut plus faire marche arrière. Trop tard, on est lancées.

Vos intentions premières étaient louables, OK. Grâce à vous, on s'est réveillées, on a bougé, c'est vrai. Vous

* Benoîte GROULT, *Ainsi soit-elle*, Grasset, 1975.
** De Beauvoir, Millett, Greer, Friedan, Groult, Halimi.

avez bouleversé nos existences, bousculé nos convictions, vous nous avez forcées à nous prendre par la main comme de grandes personnes. On ne vous remerciera jamais assez, c'est un fait.

Mais à quoi sert notre belle indépendance si on en sort au bout du compte épuisées et frustrées ?

Tarzan, Jane et les autres

Avant, tout était simple. Lui, Tarzan, il chassait. Elle, Jane, elle cueillait. Lui Tarzan, il *savait*. Elle, Jane, elle admirait (et elle fermait sa gueule même si elle savait aussi).

Quand Tarzan et Jane turlupinés par la survie de l'espèce voulurent un héritier, c'est Jane qui mit bas. Tarzan pour nourrir sa nichée retourna au turbin, cependant que sa compagne donnait à Junior les premiers rudiments de son éducation. Attraper ses poux, sauter de liane en liane, éplucher correctement sa banane. Bref, si le petit d'homme devint un homme, mon fils, ce fut grâce à la tendresse bienveillante prodiguée par maman et aux rôtis d'hippopotames rapportés par papa. Pas de risque d'erreur, pas de cartes truquées. Le jeu était limpide.

Ensuite ? Tout se complique. Papa devient jaloux. Il enferme maman. « Plus le droit de sortir ni rien, c'est moi le maître, ici. »

Femme au foyer, maman « s'ennuie » : elle n'a pas grand-chose à faire qu'élever la tribu, s'occuper de la maison, cuisiner, laver, repasser, ranger, donner des ordres aux domestiques quand elle en a, jouer du piano et demander à papa de l'argent pour acheter ses robes.

Elle ne vote pas. Papa dit toujours en riant : « Ma femme ne comprend rien à la politique. »

Comme elle manque d'instruction, elle ne lit pas beaucoup. Ou alors des romans d'amour à quatre sous qui la font rêver. (Si elle en lit beaucoup, elle devient très bizarre. Elle sort l'après-midi, délaisse le foyer, passe son temps à pleurer et à se confesser. Elle peut même en mourir : on dit qu'elle bovaryse.)

Maman s'est résignée à n'être qu'une femme. Ce qu'elle ne sait pas faire, il y a des hommes pour ça. Et papa en est un. Fort, solide, protecteur, il travaille tout le temps, aime bien caresser les cheveux des enfants et leur distribuer récompenses et remontrances. Quand il rentre le soir, il donne de la voix, se glisse dans ses pantoufles, allume sa pipe et lit son journal, tranquille au coin du feu. Cependant que maman termine de préparer le repas, met la table, sert la soupe, mange debout derrière son homme, lave la vaisselle, couche les enfants, en pensant aux lendemains qui chantent : « Mercredi, jour de linge ; jeudi, jour de marché. Ah, se rappeler vendredi de coudre les ourlets. » En gros, elle se rend utile.

Papa et maman forment ce qu'on appelle un couple uni. Surtout papa qui a fait six enfants à sa femme et qui la respecte encore. Car les années passant, lorsqu'il rentre très tard, un peu éméché et sentant le parfum, il dit qu'il a fêté la promotion d'un collègue. Et maman d'approuver.

Maman aurait pu vivre des siècles et des siècles ainsi, tranquille, résignée. Sans comprendre que sa mélancolie, ses migraines, ses angoisses parfois, venaient tout simplement de ce qu'elle étouffait. Elle était malheureuse et ne le savait pas.

Il faudrait Beauvoir...

Et puis *Beauvoir* vint.

Oh, bien sûr, avant elle, il y en avait eu beaucoup de ces admirables libératrices de leur sexe.

Olympe de Gouges, qui dans sa célèbre *Déclaration des Droits de la femme et de la Citoyenne* (1791) avait osé prétendre : « La femme naît libre et demeure égale à l'homme. » Elle fonda le club des « Tricoteuses », ces femmes qui assistaient aux débats parlementaires en jouant de l'aiguille...

Hubertine Auclert (elle refusa de payer ses impôts parce qu'elle ne votait pas). *Clara Zetkin*, fondatrice en 1892 du journal *L'Egalité* (elle militait aussi pour le droit de vote). Et *Louise Michel, Flora Tristan, Pauline Roland*, et tant et tant d'autres, illustres ou inconnues, braves petites soldates se battant vaillamment sur le front de l'antisexisme.

Mais celle qui frappa plus les esprits en un seul livre que toutes les autres en des siècles et des siècles fut la reine-mère de Beauvoir, Simone dite le Castor. Elle fit de son *Deuxième Sexe* (1949) une bible. Un pavé dans le marasme des femmes au foyer. Mille pages intelligentes, profondes, analysant en anthropologue, en philosophe, en psychologue, la condition humaine de la moitié du monde, l'immense continent noir.

Ce fut l'éclair céleste. La révélation. Un coup de tonnerre pour le sexe dit faible.

Bon nombre de femmes, et non des moindres, découvrirent en la lisant combien leur sort était peu enviable. Parce qu'elle analysait leur triste condition ? Oui, bien sûr. Mais pas seulement. Parce qu'elle les appelait par la conquête du travail et de l'égalité à se délivrer de leur joug ? Oui, bien sûr. Mais pas seulement. Surtout parce qu'elle ne se contentait pas d'expliquer pourquoi elles étaient opprimées.

Sur des centaines de pages, Beauvoir les engueulait.

Que dis-je les engueulait ? Elle les secouait, les rabrouait, les réprimandait, les admonestait, les morigénait, les tançait, les envoyait sur les roses. Arrivées au mot FIN quand on était une femme, il fallait encore avoir une sacrée dose d'amour-propre pour pouvoir se regarder dans la glace sans se cracher dessus.

Pas un seul macho n'aurait osé tenir, et n'osera jamais, le quart de la moitié des propos qu'elle tenait sur les femmes. Sous peine de se faire dûment châtrer. Au fond, Beauvoir devait être un homme. Et de la pire espèce. Celle, abhorrée, du mysogine.

Tranquillement drapée dans ses certitudes et ses fameux turbans, elle donnait mine de rien — le genre « c'est pour leur bien » — le coup de pied de l'âne à des millions de malheureuses qui ne lui avaient rien demandé. Toutes dotées selon elle de milliers de défauts, plus horribles les uns que les autres. Aucune categorie ne trouvait grâce à ses yeux. Toutes des affreuses, des mégères, des nulles, des pouffiasses, des connasses, des tarées... D'horribles dragons femelles doublées de salopes imbéciles. Un jeu de massacre comme à la foire, où toutes sans exception en ramassaient plein la bobine.

L'épouse ? « Il y en a qui se gonflent d'importance et deviennent des matrones tyranniques, des mégères... D'autres se complaisent dans un rôle de victime...D'autres perpétuent les conduites narcissiques que nous avons décrites a propos de la jeune fille... » Et encore : « Le mariage en fait des mantes religieuses, des sangsues, des poisons, voire des matrones... » On comprend mieux pourquoi, farouchement anti-mariage, elle n'a elle-même jamais convolé de peur de tomber dans la catégorie maudite.

La mère ? Beauvoir lui fait sa fête. Et pas avec des fleurs. Elle est frustrée, méchante, sans cœur, un pot-pourri entre la vilaine belle-mère de Blanche-Neige et la Folcoche de *Vipère au poing*★. « C'est presque toujours une femme insatisfaite... à qui on le (l'enfant) confie, pieds et poings liés... On s'effraie que des enfants sans défense lui soient abandonnés... A côté des mères franchement sadiques, il en est beaucoup qui sont capricieuses. Ce qui les enchante, c'est de dominer. » La reine-mère, elle, s'est toute sa vie gardée d'enfanter puisque la maternité rend forcément mauvaise.

Lorsque l'enfant grandit, rien ne s'arrange, au contraire : « Mère passionnée ou mère hostile, l'indépendance de l'enfant mine ses espoirs. » Et rebelote. On frémit devant ces milliards d'enfants martyrs ou peu s'en faut, sacrifiés sur l'autel de l'amour maternel.

L'amoureuse ne vaut guère mieux. Elle est incapable d'aimer, « précisément parce qu'elle ne s'oublie jamais ». Et vlan, un petit coup contre l'égoïsme « naturel » des femmes. La créatrice n'a pas de génie. « Il y a des femmes qui sont folles et des femmes de talent : aucune n'a cette folie dans le talent qu'on appelle génie. » Et à nouveau un p'tit crochet dans les gencives... De quelque côté qu'on se tourne, la femme n'a que des défauts : « On rencontre rarement chez la femme un goût de l'aventure, de l'expérience gratuite, une curiosité désintéressée, elle demeure dominée, investie par l'univers mâle. »

Et tout le reste à l'avenant. Des chapitres entiers d'horreurs à hurler sur les femelles, ces hystériques, animales, jalouses, coquettes, futiles, capricieuses, vani-

★ Hervé BAZIN, Grasset, 1957

teuses... (Si elle avait écrit *le Premier Sexe* aurait-elle trouvé sur EUX autant à redire ?)... Et masochistes.

Jusqu'à un certain point.

Car si *le Deuxième Sexe* a fait un tel boucan ce n'est pas tant pour la justesse des thèses développées (qui reconnaîtrait sans broncher que nous cumulons autant de tares sur la tête ?), que pour la sévérité, que dis-je, la méchanceté, des propos tenus à l'encontre des femmes. Mille feuillets d'engueulades... Beaucoup à encaisser pour un seul sexe, même s'il n'est que deuxième. On n'a pas supporté. « C'est nous qu'elle dépeint sous des traits si ignobles ? » nous sommes-nous demandé. « Eh bien elle va voir ce qu'elle va voir. On va lui démontrer par A+B que nous ne sommes pas les pauvres cloches qu'elle décrit. Révoltons-nous, mes sœurs. Montrons-lui de quel bois on se chauffe, de quoi nous sommes toutes capables... »

Drôle de paradoxe. Au fond, si Beauvoir a atteint son but principal, pousser les femmes à prendre le pouvoir, à se libérer de deux mille ans d'esclavage, c'est en les insultant, en les méprisant, en leur crachant au visage. En leur disant : « Allez, je ne vous estime point. » Sauf qu'elle ne cultivait pas la litote. Bref, en les traumatisant. Ce n'est pas par amour pour son sexe qu'elle entreprit ainsi son maître ouvrage. Ni par bonté d'âme. Ni même par pitié. Mais bien parce qu'elle avait honte de lui appartenir.

Plus tard, d'autres féministes plus aimables entreprirent de tresser des guirlandes de fleurs pour célébrer la joie d'être une femme. Elles composèrent des odes à la sororité, s'enivrèrent du bonheur d'avoir un vagin, un ventre plein et rond, des seins et surtout pas de couilles comme le psalmodia un temps Annie Leclerc avec force trémolos sous sa plume : « Voir et sentir le sang tendre et chaud qui coule de soi, qui coule de source une fois par mois est heureux. Etre ce vagin, œil ouvert dans les fermentations nocturnes de la vie... est heureux*. » Aujourd'hui, on en pleure de rire. La sonate aux ragnagnas, l'hymne à l'ovaire, le chant d'amour aux pertes blanches, on trouve ça ringard, tragique, nul. On a honte pour l'auteur. Combien d'entre nous pourtant se sont précipitées pour lire ce bouquin dégoulinant d'humeurs qui reste une des références de la lutte des femmes ?

Ça, Beauvoir s'est totalement refusée à le dire ou l'écrire. Son truc à elle, c'était la manière forte. Son jeu, la carte des remontrances. Le genre « mère-sévère-mais-juste » qui dit à ses filles toute la vérité, même si celle-ci n'est pas toujours bonne à entendre (« Ma petite, tu es moche et con, mais avec beaucoup d'efforts — et moi ta mère je vais t'y aider — tu seras à peu près présentable »).

Le torchon brûle

Passons sur la façon pour le moins ambiguë utilisée par Beauvoir pour réveiller les femmes. Si la fin justifie les moyens, il faudrait être d'une mauvaise foi totale pour ne pas reconnaître qu'elle a déclenché un processus irréversible. D'autres, après elle, prirent la relève. Les féministes, ce furent les plus hardies de ces femmes qui ne supportant ni le mépris beauvoirien, ni la domination mâle, décidèrent de s'organiser pour secouer leurs connes-génères.

Alors, la révolte se mit à gronder.

Alors émergèrent Betty Friedan, Kate Millett, Germaine Greer, et tant d'autres jeunes femmes en colère

* *Parole de femme,* Grasset, 1975.

qui aux Etats-Unis bâtirent les fondations de l'Église féministe avec leurs gros pavés.

En France, Mai 68 mit le feu aux poudriers. Dans la foulée, le MLF suivra, Antoinette et les autres. Et puis Gisèle (Halimi), Benoîte (Groult), Françoise (Giroud), Evelyne (Sullerot), Hélène (Cixous), Xavière (Gauthier) et toutes celles qui, enfourchant le cheval de bataille féministe, en firent leur dada.

Alors, on vit des choses incroyables arriver, des cuisinières bouillonner d'idées, des ménagères faire table rase du passé, des secrétaires taper du poing, des mères se faire la paire, des soutiens-gorge mis sens dessus dessous ou offerts en autodafé et même une gerbe de fleurs déposée sous l'Arc de Triomphe à la gloire de la femme du soldat inconnu « Toujours plus inconnue que lui ». On vit des manifs s'organiser, des manifestes se signer, des magnifiques (Seyrig, Moreau, Lafont, etc.) défiler dans la rue. Le drapeau rose flottait sur les marmites. L'esclavage était au bout du rouleau (à pâtisserie).

« Mais enfin, qu'est-ce qu'elles veulent ? », se demandaient les hommes surpris, puis ironiques, puis enfin effrayés, avant de se déclarer — bien obligés — totalement « concernés. »

« Mais qu'est-ce qu'elles veulent enfin ? », reprenaient les autres femmes, moi, vous, nos copines, qui regardions de loin, mais l'œil intéressé.

Tout. Elles voulaient tout. Prouver qu'elles n'étaient pas des bobonnes hystériques confinées au foyer. Elles réclamaient en bloc le travail libérateur et le sexe joyeux, rejetaient les contraintes et l'héritage des mères, coquetterie, maquillage, mariage, apparence, famille, etc. Dans leurs paniers d'osier, sous leurs cheveux teints au henné, il y avait en vrac le grand méli-mélo des années soixante-dix où tout a explosé.

Nous autres, les piétonnes, on s'est mises à reluquer

de près ce joyeux déballage qui nous touchait au plus profond. Même si pour nous protéger de ce que nous pressentions être un grand chambardement, nous commencions souvent nos phrases par : « Je ne suis pas féministe, mais... »

Elles travaillaient pour nous, elles écrivaient pour nous, elles pensaient et luttaient pour nous. Leurs excès même nous étaient profitables (bien sûr, personne n'a jamais *vraiment* voulu châtrer qui que ce soit dans le camp opposé, mais l'imaginer défoulait sacrément). *En tant que Femmes*, il n'y en avait plus que pour nous. Et une p'tite marche par ci et une p'tite pétition par là... Et une librairie des *Femmes*, des journaux de *Femmes*, des lieux pour les *Femmes*, des paroles de *Femmes*... Gare à qui oublierait désormais de compter sans *les Femmes*. L'air paraissait plus pur, le ciel était à nous, nous repoussions chaque jour un peu plus nos limites. On découvrait la solidarité, l'amitié, la chaleur humaine. En se serrant les coudes, on se sentait enfin des ailes. Nous existions. Et ça, ça n'avait pas de prix.

Contrairement à Beauvoir, nos libératrices nous affirmaient — et leurs paroles étaient si douces à nos oreilles — que nous étions divines, intelligentes, parfaites. Que nous avions mille qualités inhérentes à notre sexe et qu'il nous fallait les découvrir. Elles prônaient à la fois l'égalité et la différence, ce qui quelquefois nous laissait perplexes. Allez donc vous y retrouver... Tout en luttant pour obtenir les mêmes avantages que nos partenaires masculins, nous découvrîmes extasiées que nous n'étions tout de même pas pareilles et qu'il ne fallait surtout pas nous confondre. Eux n'avaient qu'un pénis dont ils se servaient comme des brutes, sans comprendre. Nous, si raffinées, avions d'autres atouts dans nos corps. A nous à présent d'en jouer.

Dorée, la pilule...

Car dans le même temps, et tout s'est confondu, nous avons aussi conquis la liberté sexuelle. Une des clés pour ouvrir nos chaînes. Avec la pilule arrivée en 1967 (merci à Margaret Sanger pionnière du Birth Control aux Etats-Unis, merci à Lucien Neuwirth, père de la loi du même nom). Avec, huit ans plus tard, la loi Veil, autorisant l'IVG (merci aux 343 salopes avouant dans un célèbre manifeste daté de 1971 qu'elles avaient avorté, merci à Maître Halimi plaidant en 1972 au procès de Bobigny, merci au Planning Familial, au MLAC*, etc.).

Merci aux débatteuses, aux marcheuses, aux militantes, aux sorcières, aux salopes, aux folles de leur corps. Sans vous nous en serions peut-être encore aux faiseuses d'anges.

Cette liberté-là, comme celle du travail, nous ne l'avons pas voulue à moitié. Enfin, on a pu faire l'amour sans crainte de procréer, sans passage obligé devant le maire ou le curé. A nous le septième ciel sans parachute. Dans la foulée, nous avons aussi remporté la bataille du clitoris, le combat pour l'orgasme, la guerre du point G. Enfin nous avons pu choisir le jour et l'heure, dire *non* quand c'était *non*, oui quand ça nous chantait. Nous les damnées de l'amour étions enfin debout. Et pas question qu'on nous recouche sans notre consentement.

Réussite, nous voilà

Délivrées de l'angoisse du mariage-voie de garage et des bébés pas désirés, nous avons pu nous consacrer à notre passion toute neuve, la réussite par le travail.

* Mouvement pour la liberté de l'avortement et de la contraception.

Beauvoir, l'une des premières, avait compris le truc. A tous les maux et défauts dont souffrait selon elle la moitié de l'humanité, la dame au turban proposait le turbin. Une solution radicale pour obtenir enfin cette égalité tant souhaitée. « Un monde où les hommes et les femmes seraient égaux signifierait que les femmes élevées et formées exactement comme les hommes travailleraient dans les mêmes conditions. » (Excellentes intentions qui nous tuent la tête depuis près de vingt ans. Cf le chapitre « Executive Mamma ».) Nous nous sommes donc engouffrées dans les brèches percées, en les agrandissant sous la poussée du nombre. Dans ce domaine, le choix était restreint. Métiers subalternes ou métiers subalternes. Pour une poignée de chefs (baptisées viragos par la gent masculine), combien de petites mains, d'obscures, de sans-grade ? Combien de diplômées en médecine, droit, économie, etc., qui, leurs études achevées et couronnées par de belles épousailles, avaient préféré œuvrer pour la famille ?

Courageusement nous avons pris d'assaut ce bastion si nouveau, raflant tous les diplômes, fonçant comme tout un bataillon à l'appel de nos maréchales. Troquant sans hésiter notre place au foyer contre une bonne place ailleurs. Au début ce fut timide. Pas facile de lutter contre des millénaires d'idées préconçues, de montrer que nous aussi pouvions être les meilleures, pourvu qu'on nous en donne les moyens. Et puis, arrivèrent Anne Chopinet entrée première à l'X, Françoise Chandernagor, major de l'ENA. Ce fut la ruée. Les diplômées refusèrent désormais de servir le café. Elles exigeaient d'être employées d'abord pour ce qu'elles *savaient* faire et non pas pour ce qu'elles étaient *supposées* savoir faire... Les autres se débrouillèrent avec les moyens du bord. Le plus urgent étant d'abord de sortir de chez soi. De humer l'air du large.

De faire n'importe quoi, même de vendre des pommes. Au bout de quelque temps (et beaucoup de pépins crachés par les hommes qui voyaient d'un très mauvais œil s'installer la concurrence), les plus hardies sont devenues chefs du rayon des pommes. Puis, fruit de leur labeur acharné, patronnes du magasin de pommes. Qu'elles agrandirent ensuite pour fonder leur propre chaîne de boutiques de pommes.

Car bien sûr nous ne pouvions nous contenter de peu. Il nous fallait plus pour prouver (nous prouver et LEUR prouver car il y en avait encore un sacré paquet à considérer que la place de Cendrillon est d'abord devant l'âtre), que non seulement on se débrouillait seules comme des grandes mais qu'en plus, on réussissait. Avec *leurs* méthodes qu'on singeait, faute d'avoir eu le temps (ou le courage) d'en inventer d'autres. Le pouvoir au bout du phallus ou de ses substituts (autorité, violence, guéguerres et cie...).

Tout cela en vingt ans. Une ascension à la fois fulgurante et trop lente. Subitement, on est passées de l'âge de pierre au nucléaire, de Lascaux à Tchernobyl. Et on s'est fait sacrément irradier. Au bout du compte, au lieu de réinventer un monde à notre image, plus humain, plus tolérant, plus chaleureux, on a récupéré ce qu'il y avait de pire chez ceux qu'il y a peu encore nous taxions d'ennemis naturels. Il nous est hélas arrivé ce qui arrive à tout opposant renversant un régime par trop dictatorial : la reprise à son propre compte, souvent en les amplifiant, des pires défauts du roitelet destitué.

Mais ça, nous ne l'avons pas compris tout de suite. Nous préférions savourer le fruit de nos victoires présentes et à venir. Et les années soixante-dix, colorées, échevelées, joyeuses, ont défilé comme une seule femme. Toutes main dans la main, unies vers le grand soir, celui où tous les hommes seraient sœurs.

L'âge du recentrage

Seulement après nous avoir ouvert la voie, après nous avoir fait miroiter tant de belles promesses, la mort de la famille, du couple, la fin de la femme-objet, après nous avoir applaudies et encouragées, après nous avoir fait crier, sauter, danser, embrasser qui vous voudrez, les féministes — et le féminisme — ont subrepticement, mais très sûrement, fait marche arrière.

Progressivement la sororité est passée de mode. Les *Femmes* en ont eu marre d'être, en permanence, dans tous leurs états généraux et ont eu envie de signer l'armistice. La guerre terminée, les chefs se sont reconverties comme leurs alter ego masculins, les pros de la révolution, dans la communication ou les droits de l'homme (de l'homme!)... On s'est alors dit que puisque les pures et dures tournaient ainsi casaque, il n'y avait aucune raison que nous, les suiveuses, on poursuive sur notre lancée. Surtout que c'était pas pratique de courir en sabots. Que d'ailleurs on était bien assez libérées comme ça. Plus et on frôlait l'overdose.

On a donc rangé toutes leurs belles paroles au placard, avec les paniers en osier et les jupons brodés. On a posé le marteau, remis les faux-cils. Réappris à bouger comme des Marilyn qui auraient quand même gardé le savoir de Beauvoir. Et on s'est mises à jongler avec l'ordinateur, le second marché et les MST. Certes ce repliement frileux, les yuppies remplaçant les groupies, l'époque aussi en est responsable. Les années quatre-vingt, furieusement recentrées, ont retrouvé le goût du mironton et le charme des talons aiguilles, les bonnes vieilles valeurs remises au goût du jour (travail, famille, Tapie), la chasteté et la fidélité (merci Sida), et découvert le charme discret de la cohabitation (la gauche pénétrant les secrets de la Bourse, des greens et du nœud de cravate ; la droite s'initiant avec un grand frisson au jean, aux meubles en kit et au concubinage). Du coup nous aussi on a eu la nostalgie des maris qu'on n'avait pas (encore) trouvés, des maisons qu'on n'avait pas (encore) meublées, des bébés qu'on n'avait pas (encore) fabriqués.

Bien sûr, on a continué notre petite bonnefemme de chemin, avec la Liberté en bout de course. Mais avec la vague idée qu'il nous manquait un chaînon.

En avant les machas

En fonçant ainsi tête baissée dans la carrière et dans le sexe et en éliminant le reste, famille, mari, foyer, on a forgé toute une armada de femmes sans mecs, de *machas*, qui filent les jetons à la gent masculine. Des séduisantes, intelligentes, indépendantes, mais seules, qui se retrouvent en rade, coincées entre des aspirations contradictoires. La satisfaction d'avoir réussi à mener leur vie comme elles l'entendaient et la solitude qui (souvent) va de pair.

A vingt ans, poussées par nos Amies les Femmes, nous avons toutes été obsédées par la course aux diplômes, aux jobs et la hantise de limiter l'amour à un seul grand amour. Une réussite professionnelle éclatante et quelques dizaines d'amants plus tard (vers la trentaine, en général), la survie de l'espèce et l'envie, somme toute bien naturelle, de fonder un foyer, ont fait qu'on éprouve comme un vieux vague à l'âme, un drôle de pincement au cœur, en voyant les copines, pourtant plus tartes ou plus moches, se caser avec le premier énarque venu et surveiller avec un sourire niais leurs nombrils qui s'épanouissent. Hélas, trois fois hélas. Fallait s'y prendre plus tôt.

La femme - libre - mais - seule est tout à coup devenue un fait de société et s'est aperçue à son corps défendant qu'elle n'était plus seule à être libre. Elles sont des milliers dans son cas. Et pas n'importe quels milliers. Des milliers d'avocates, de dentistes, de médecins, de cadres sup', d'architectes, etc., qui en passant au-delà de la limite d'âge ont un beau jour découvert que leur ticket charme n'était plus valable. Ou tout au moins ne suffisait pas. Les statistiques le disent clairement : 24 % des femmes cadres sont seules contre 10 % des ouvrières. 24 % d'imbéciles surdouées qui ont cru aveuglément qu'un diplôme coté et un salaire haut de gamme leur serviraient de passeport pour le bonheur.

« Selon une étude émanant des universités Yale et Harvard, une femme de plus de trente-cinq ans aurait autant de chances de trouver un mari que de périr dans un attentat terroriste*. » Bilan bien pessimiste. Faut-il se réjouir de ce qu'aujourd'hui les attentats terroristes se multiplient ?

D'autres ont réussi à ménager le chou, mais en devenant chèvres. Dans un bel élan et en retenant leur souffle, elles ont accumulé, carrière, mari(s), bébé(s), amant(s), maison(s) et la suite qu'on connaît... Air connu. Coincées, les filles. Les maquées comme les célibataires. Même si ce n'est pas de la même façon.

Et les unes et les autres se sont fait piéger par le nouveau discours dominant, qui découle en droite ligne de celui des féministes et le remplaçe totalement. Le mythe de la Femme Parfaite. Les unes l'enviant, les autres le vivant, mais toutes courant derrière comme des forcenées pour essayer de le rattraper. Un mythe alimenté régulièrement par les gens de communication, les

* *Le Point*, avril 1987

observateurs avisés, les sociologues de papier journal, les sondages, etc.

« Aujourd'hui, disent-ils tous en chœur, aujourd'hui les femmes veulent tout, peuvent tout, savent tout faire. » Et de s'en féliciter.

D'après eux, la lutte des femmes est bel et bien terminée. Même si tout n'est pas vraiment réglé.

« D'accord vous n'avez pas tout eu, mais on peut pas tout avoir s'pas ? Et puis regardez, avec ce que vous avez déjà vous avez traumatisé tous ces pauvres mecs. Les malheureux, ils ne s'en remettront jamais que vous leur ayez coupé les choses pour mieux vous envoler. Alors lâchez-leur un peu les baskets. Après tout, votre liberté, c'est votre *problème*, pas le leur. »

Eh bien, devinez ? On se l'est bouclée.

Où sont passées les féministes ?

On aurait tout de même pu espérer que les féministes, celles-là mêmes qui, en nous libérant, nous ont entraîné sur la mauvaise pente, nous tireraient de ce guêpier où elles nous ont fourrées. Que nenni. Aujourd'hui, qu'on aurait le plus besoin d'elles pour nous défendre : p'ffuit, envolées.

Car Friedan, Greer, etc., qui comme toute une chacune ont pris de la bouteille, tiennent à présent de trop sages discours où l'on retrouve, comme par hasard, les thèmes dominants de la décennie, famille, chasteté, couple, fidélité, mariage. Frilosité ambiante assortie à l'époque.

Que leurs paroles aient radicalement changé, c'est le moins que l'on puisse constater. Le plus bourgeoisement du monde, elles brûlent ce qu'elles ont adoré, abjurent sans le moindre complexe ce qu'hier elles défendaient. C'est la même, Germaine Greer, qui dans les années soixante écrivait dans sa préface à *la Femme eunuque* : « Ce livre se voudrait subversif. Le moraliste traditionnel protestera contre le rejet de la sacro-sainte famille, le dénigrement de la maternité et la suggestion que les femmes ne sont pas naturellement monogames. » Et qui, vingt ans plus tard, affirme dans une interview donnée à *Elle* : « Je crois que pour une femme, avoir une maison agréable, cela vaut la peine, c'est une œuvre d'art. Quant à la carrière, elle peut donner la clé des toilettes des chefs, mais des toilettes, ce ne sont jamais que des toilettes ! »

Quant à Betty Friedan, c'est un mea culpa total : « Mon ouvrage, *la Femme mystifiée*, n'a pas exprimé suffisamment les satisfactions que nous apportent notre foyer et la maternité... Les féministes qui dénigrent la famille sont tristement en désaccord avec la majorité des femmes... »

Tragique d'observer comment les pétroleuses éteignent de leurs jupons désormais brodés main les feux qu'elles avaient jadis allumés. De voir les sorcières se transformer en bonnes grand-mères, les salopes se refaire une virginité, les théoriciennes de la révolution ne plus jurer que par le pot-au feu et les petits-enfants. Après nous avoir séduites, elles nous ont laissées tomber comme les vulgaires chaussettes à repriser que jadis elles nous adjurèrent d'abandonner. Trahies. Nous sommes trahies. Et impossible de remonter la pente, de les suivre dans leurs nouvelles vieilles idées. Même si on est d'accord, on est trop avancées pour mettre aujourd'hui la marche arrière.

Même les Institutions avec un grand F comme Femmes se sont délitées dans l'espace. D'une secrétaire d'Etat à la Condition féminine, Françoise Giroud, à une ministre déléguée à la Condition féminine, Monique Pelletier, en passant par une ministre des Droits de la femme, Yvette Roudy, on est arrivées aujourd'hui à une simple déléguée à la Condition féminine (faut-il encore y mettre la majuscule?), Hélène Gisserot, que personne ne connaît.

Quoi ? Pas une pour élever la voix, pas une pour nous sortir de la mélasse ? Pas une pour rameuter les foules, hurler qu'aujourd'hui c'est hier en pire, même si en apparence ça a l'air beaucoup mieux ? Pas une pour nous crier : « Attention casse-cou », nous expliquer qu'on est cinglées ?

Pas une pour gueuler contre ce parfait numéro d'équilibriste que nous jouons chaque jour sans espoir de relâche ? Pas une pour dénoncer les effets pervers de cette libération qui nous a entraînées vers le dernier degré de l'asservisement, même si nous semblons enfin libres ? Ben non, elles ont déclaré forfait. Elles se sont fait la valise. Ont disparu corps et biens, en croyant peut-être qu'elles n'avaient plus rien à dire*.

Et nous qui avions cru en elles comme on a cru aux Nouveaux Hommes, on est roulées. Dans la farine. La cuisine, c'est bien notre destin premier ?

* Un léger espoir peut-être du côté des NFA, les nouvelles féministes américaines, toujours en avance de deux ou trois longueurs, qui veulent en finir « avec le mythe contemporain de la Super Femme ». Mais combien sont-elles ? Un groupe ? Un groupuscule ? Et combien faudra-t-il qu'elles soient avant de réveiller les consciences de toutes celles qui croient que la fatalité s'est abattue sur elles ? Et que c'est parti pour durer ?

II

La faute au NouvelHomme (et à l'ancien...)

Arrêtez tout dans les magazines
Nouvel Homme, tweed et fiches cuisine,
Mais si j'dis ça, j'casse mon image
Ça s'rait dommage d'être au chômage
A mon âge.
J'veux du cuir
Pas du peep show, du vécu
J'veux des gros seins des gros culs
J'veux du cuir.

Alain SOUCHON, 1986

L'humour toujours

« Bidon, j'suis bidon », reconnaissait — déjà — Souchon dans une de ses meilleures chansons. Œil câlin, sourire moqueur, l'air fragile et trop tendre d'un bébé prolongé, Alain Souchon, dit « la Souche », était le profil type irrésistible de l'invention féministe du siècle · *le NouvelHomme*. Un antimacho-méchant, un brave nounours doux-mou à caresser dans le sens du poil, l'exact contraire de Tarzan et ses frères.

Il chantait *J'ai dix ans* et on fondait comme le chocolat Menier de son goûter. Il pleurnichait *Allô maman bobo* et y' avait subitement comme de l'Urgo dans l'air. On fonçait toutes soigner ce petit bonhomme plein de bleus à l'âme, capable de vomir son quatre heures parce que sa Lily l'avait largué.

Ce NouvelHomme... En avait-on rêvé... Pas pour rien qu'à part lui, nos stars de l'époque s'appelaient Woody Allen, Serge Gainsbourg, Dustin Hoffman, Richard Dreyfuss et confrères. Des petits, des pas beaux, nez tordus, mal rasés, mal foutus, mous du muscle mais forts en t'aime, des surdoués maladroits et charmeurs, étalant sans complexes leur fragilité, leur timidité, leurs fêlures. Et qui, s'ils conjuguaient pour le meilleur et pour le rire humour avec toujours, détestaient faire rimer tendresse avec faiblesse. Tout pour plaire. Aux femmes. Car d'instinct, avec une intuition diablement féminine, ils étaient passés du bon côté de la barrière. Le nôtre.

Ce Nouvel Idéal Masculin, apparu au début des années soixante-dix, nous faisait rigoler et craquer. Bon signe. Nous qui avions tant craché sur ces con-frères, les tyranneaux de tous bords, nous reprenions espoir.

Avec lui, on allait bâtir un Monde Meilleur, enfin débarrassé de ses rapports de forces. Nous allions être amants, amis, complices. En un mot, complémentaires. Nous les aimions déjà ces moitiés de nous-mêmes, ces mutants que le combat pour notre libération avait du même coup délivrés de leurs chaînes.

Du moins dans les principes.

A l'eau Bobo, rev'là Rambo

Car la Vérité, à l'usage, s'est révélée tout autre. Nous avons fait erreur sur la personne. C'est-à-dire qu'il n'y avait personne. A-t-il vraiment existé, à la fin, ce NouvelHomme qu'on voulait tendre, rassurant, amoureux, charmeur, prévenant, bref doté de toutes les qualités requises pour faire un bon prince charmant ? Ou n'était-ce, somme toute, qu'une douce illusion, un mirage, sorti de nos cerveaux en pleine ébullition ? Et amplifié, comme toujours, par l'écho médiatique ?

Aujourd'hui que le Monde Meilleur est encore pour Demain, la question reste posée. Elle est même presque résolue. Trop fragile, l'espèce n'a pas survécu. Même Souchon nous a trahies. Le gentil chanteur est devenu un dur à cuir, un obsédé du roploplot. Chassez le naturel... L'abdominable Rambo rappliquant au galop est bien décidé à remplacer Bobo.

Pourtant au début on avait bien marché. On y croyait dur comme fer à ce nouveau type d'homme différent de ses pères, qu'il nous avait fallu inventer pour remplacer l'ancien trop minable à notre gré.

Ça, on en avait soupé du macho, du phallo, du salaud, du sado, du miso, du tyranneau. Du père abusif, du baiseur fou, du mari jaloux, de l'amant courant d'air, du coureur de jupons et du dragueur de fonds, du Casanova de chez Castel, du Don Juan de banlieue, du Monsieur Muscle, du Monsieur Propre, du rouleur de mécaniques, du mâle-à-bar de bas étage portant en bandoulière depuis des millénaires sa prétendue suprématie héréditaire sur le sexe dit faible. Des neurones aux testicules, des biceps au portefeuille, tout chez eux nous était *génétiquement* supérieur. Longtemps, à leurs yeux, nous n'avons pas eu d'âme. Juste des seins, des fesses, un cul, une chatte, réservés à leur seul usage de propriétaires. Et puis bien sûr un cœur. Dont, pour faire bonne mesure, ils nous concédèrent du bout des lèvres le monopole. Celui des romances à quatre sous, de l'eau de rose, des histoires de midinettes à faire pleurer Margot. Leur mot d'ordre ? « Sois belle et tais-toi. » Belles plantes mais potiches, nous n'étions bonnes qu'à nous faire arroser.

Et puis un beau jour, les grandes muettes ont repris la parole. Nous changions ? Nous bougions ? Il fallait qu'eux aussi se réveillent. Sinon, tchao pantins, et au plaisir de ne jamais vous revoir...

Le fruit du bourreau et de la victime

Au début, par vengeance, on a pensé à boy-cotter sans distinction de races tout ce qui portait pénis. On les a exclus de nos jeux, de nos groupes. Tous nos maux venaient d'eux. Tous. Boulot médiocre ? La faute à nos études chez Pigier pendant qu'eux ils faisaient *leur* médecine. Salaire à peine smicard ? La faute au patron, qui file les augmentations aux Marie-couche-toi-là. Solitude ? La faute à ces brutes qui savent pas nous aimer. Ragnagnas ? La faute au bon Dieu (encore un misogyne), qui nous a pas créées pareilles que son Adam. Et le reste à l'avenant.

Des récriminations, il y en avait largement de quoi remplir les vingt tomes de l'*Encyclopedia* plus les *addendæ*. Le MLF grondait. Les héros devenaient des zéros.

Ils ont fait le gros dos. Et attendu que l'orage passe. Tout en se demandant quoi inventer de neuf pour nous récupérer, car il y avait urgence.

Ils ont pas mal morflé mais se sont accrochés. Et timidement, très doucement, l'Homme Nouveau, comme le beaujolais du même nom, est un jour arrivé.

Il était jeune, frais, et complètement traumatisé par le féminisme. Pas fier d'être le fruit de l'union du bourreau et de la victime, le fils de l'oppresseur et de l'oppressée. Un mélange bizarre qui faisait du tintouin dans ses gênes.

D'autant que ses maîtres à penser, Tonton Sigmund et Tonton Karl, lui faisaient des reproches cuisants sur les fautes de ses pères. Il se demandait avec anxiété comment les racheter.

Facile. L'avait qu'à virer de bord. Accoster l'autre rive. Celle des femmes. Ce qu'il fit.

Ils se laissa pousser les cheveux, arbora des foulards, des bijoux, des vêtements roses et mauves, des parfums, des soieries. Maquilla ses yeux de khôl, ses cheveux de henné. Avec son allure, son vocabulaire se mit à changer. A la place de *nichons, grosse bite* ou *salope*, on entendit des mots bizarres et rares comme *tendresse, douceur, émotivité*. Il apprit à tisser, à jouer de la flûte, à travailler le cuir, à manger bio, à vivre à plusieurs dans des communautés où il fabriquait des fromages de chèvre qu'il vendait au marché, à parler aux étoiles, aux fleurs et aux bébés. Ses valeurs dominantes devinrent désormais la paix, la vie, l'écologie. La guerre, voilà l'ennemie. Y compris celle des sexes.

Dans le même temps nous parcourions le chemin à l'envers. Reprenant à notre compte tous ces défauts tant détestés chez eux. L'agressivité, la violence, l'ambition, l'égoïsme, l'arrivisme, le manque de scrupules, pour avancer dans ce monde masculin qui désormais devenait le nôtre. Ce qu'Elisabeth Badinter n'a pu que constater : « Alors que les uns voulaient construire un monde moins agressif où la concurrence serait moins cruelle, les autres se posaient maintenant en redoutables concurrentes. [...] Elles ne sont plus seulement tendresse et dévouement, mais aussi ambition et égoïsme*. »

C'était clair : l'Un avançait vers l'Autre. Nous étions faits pour nous rencontrer. Nous nous sommes seulement croisés.

* *L'un est l'autre*, Ed. Odile Jacob.

Dommage. Car il nous plaisait bien le nouveau modèle. Beaucoup même. Mais sans doute étions-nous amoureuses d'une image, d'un cliché qui a duré ce que durent les modes, à peine quelques saisons. Tout doux, pas ramenard pour deux sous, il faisait son modeste, son timide. Pas *Monsieur-je-sais-tout*, il nous laissait étaler notre savoir tout neuf (les plombs et les pneus de la bagnole) en ayant le bon goût de ne pas nous aider.

Quand il nous invitait à dîner aux chandelles, il endossait lui-même le tablier du chef. Le *chile con carne* ou le *poulet au curry* (recettes rapportées, avec le jeté de lit en tissu indien mauve, de ses nombreux voyages) n'avaient aucun secret pour lui. Et même si le tête-à-tête amoureux avait lieu chez nous, bien dressé, sitôt la dernière bouchée avalée, il se précipitait pour débarrasser la table et laver la vaisselle...

Côté cul, il y avait des progrès. Surtout pour nous. Bien sûr, il nous fallait atteindre notre quota d'orgasmes réglementaires, vaginaux ET clitoridiens (chiffres à l'appui, fournis gracieusement par les magazines féminins), pour admettre qu'au lit il se débrouillait bien. Certains petits malins mirent à profit leur fragilité toute nouvellement acquise pour nous emballer avec le coup de la panne. Sexuelle. Transformées pour l'occasion en dames psypsys, le must de la décennie soixantedizarde, nous cherchions ensemble, en nous passant le joint, si *quelque part* le traumatisme n'était pas violent au niveau du vécu.

De toute façon, si *ça* ne marchait pas, plus personne n'en faisait un plat. On se disait salut et à la prochaine fois. Peut-être.

Car le couple était mort. Tué par trop d'amour. Et nous ne voulions sous aucun prétexte le reconstruire. Nos *groupes femmes* nous suffisaient. Ses *groupes hommes* le rassasiaient. Il y parlait de choses mystérieuses (sûrement encore de nous) qui n'avaient rien à voir, du moins on l'espérait, avec la bière, l'amitié virile ou le foot. D'ailleurs, il détestait le foot. Encore un mensonge éhonté. Aujourd'hui qu'*ils* n'ont plus honte d'être ce qu'ils sont vraiment, quel est l'ancien NouvelHomme qui accepterait de rater le moindre petit match comptant pour les huitièmes de finale ? Il vomissait aussi les grosses bagnoles, les cigares, les cravates, tout ces vieux fatras de la virilité qu'affectionnaient nos pères.

Du neuf avec du vieux

Parfois entre deux mea culpa, tous provoqués par nous, tous sur le même modèle : « J'ai été un salaud pendant des siècles, mais maintenant c'est terminé, promis, juré, je ne recommencerai jamais », il nous disait : « Je t'aime. »

Et on se prenait à rêver.

A reconstruire la Vie à Deux sur de nouvelles bases. A tailler du neuf avec de vieux habits, ceux du quotidien. « Je fais les courses le lundi », « Tu fais la vaisselle le mardi », « On sort chacun de son côté le mercredi ». Car la Fidélité nous semblait dépassée (n'empêche qu'on morflait tout pareil qu'aux Temps Jadis, quand il se pointait en sourdine et en chaussettes à trois heures du matin, fleurant le patchouli d'une autre). D'accord, il y eut des orages. Personne n'était parfait. Surtout lui. Mais, aveuglées par l'amour, nous étions certaines encore de pouvoir l'améliorer. Sa maladresse nous émouvait plutôt qu'elle ne nous énervait : « Ses nouilles collent, OK, mais au moins il met la main à la pâte. »

C'étaient les débuts, l'amour fou, quand nous vivions de pain et de roses, que peu à peu, il oublia, l'un comme les autres, de rapporter. Il mettait tant de bonne volonté touchante à se rendre utile que dès qu'il faisait mine de bouger le petit doigt, comme des mères aimantes mais un peu impatientes, nous nous précipitions tout de suite pour l'aider. En riant ou râlant selon notre humeur du moment. Et lui se laissait faire, soulagé au fond d'être ainsi materné (l'espèce *Castor Junior*, totem « Je fais tout », dûment homologuée restant quand même très rare).

Le temps passant, la nature aidant, nos mères nous poussant, nous avons eu envie de faire des enfants. Si maman le disait... D'autant que les féministes, nos super-mères à toutes, ne les démentaient pas. Et qu'il fallait agir vite avant la quarantaine pour enfin procréer. Sale injustice qui fait que quels que soient les progrès de la science, nous ayons — pour l'instant — vingt ans ou à peu près pour fabriquer des bébés.

En plus, tout au fond de nous, pointait la secrète envie d'un sweet hom(m)e et de charentaises, de chères têtes blondes à la naissance toujours retardée, la faute à pas de temps et à la mini-pilule. Va donc pour la floraline et les babygros.

Nous avions mûri. Nous avions bien avancé sur le chemin de nos ambitions. Eux aussi. Ils avaient coupé leurs cheveux, rangé salopettes et flûtiaux et, juste pour faire « sérieux » la journée au boulot, remettaient des cravates, premier indice flagrant de leur retournement de veste.

Le Primipère

Ensemble, on a eu envie de père-pétuer la race.

Dans notre élan, après le NouvelHomme, on a

inventé le *NouveauPère*, rapidement confondu, l'un n'allant pas sans l'autre, avec le NouveauPampère). Tout en exigeant de lui, bien sûr, qu'il reste en plus le *Superman* dont au fond nous rêvions. Car dans nos têtes non plus ça n'était pas si net.

On s'est mis à couver. Tous les deux. Il n'a rien voulu louper, de la première échographie, dûment collée dans l'album de famille avec la mention : « Edouard à un mois », au premier coup de pied du bébé (« Il sera footballeur » disait-il, l'air extatique, la main sur notre ventre rond). Il s'emballait comme nous sur les brassières à cœurs roses, se sentait concerné par la déco de la chambre, un savant mélange d'Ikéa et Bonpoint, apprenait tout Pernoud, Dolto, Cohen-Solal, et Brazelton par cœur en soulignant au stabilo les phrases capitales. Au chapitre 27, « La sténose du pylore chez le nourrisson » lui provoquait de larges bouffées d'angoisse. « Et comment on saura qu'*Il* l'a ? », nous demandait-il entre deux insomnies...

On le surprenait parfois, un ours en peluche dans les bras, à gâtifier comme si l'enfant — Théodule ou Marguerite — était déjà dans son berceau. Il allait jusqu'à s'entraîner avec ceux des copains, invitant le week-end avec un bel entrain ses filleuls, ses neveux ou le fils du voisin, pour constater, épuisé mais satisfait de l'expérience, que son éducation à lui serait plus libérale. Ou moins. En tout cas bien meilleure.

Plus notre état avançait et plus il se sentait solidaire réinventant pour lui tout seul un nouveau mot, *couvade*, qui englobait tous *ses* symptômes de *notre* grossesse. Pour un oui pour un non, il se tenait le ventre, vomissait son dîner, engloutissait deux tablettes de chocolat d'affilée en prétextant une *envie* irrésistible, ou se couchait à nos côtés accablé de fatigue. Certains perfectionnistes poussèrent le mimétisme jusqu'à prendre du poids

Aux séances d'accouchement sans douleur, seul ventre-plat au milieu d'une vingtaine de gros bides, il recueillait toute l'admiration de la sage-femme, qui donnait le cours quasiment pour lui seul. « Eh ben, ma p'tite dame, vot' mari il me la réussit, lui au moins, cette bascule du bassin. »

Toute cette sollicitude, il faut bien l'avouer, nous exaspérait un brin. Nous chatouillait l'amour-propre. Nous nous sentions dépossédées, légèrement flouées. Après tout, la future mère c'était quand même pas lui... Mais nous n'osions le susurrer de peur d'étouffer dans l'œuf ses bonnes dispositions.

Enfin le jour J arriva. Il savait mieux que nous reconnaître la contraction annonciatrice du Grand Départ Vers La Maternité. Mais la perspective imminente de l'enfant à venir le terrorisait. Plus si fier, il reculait, tout en protestant du contraire.

L'un d'entre eux s'endormit même alors que sa femme, la valise à la main sur le seuil de la porte, l'enjoignait de se réveiller. D'autres s'arrangèrent pour louper la naissance, en partant en voyage deux heures avant le déclenchement des opérations : « Je t'assure, chérie, je serai là demain. De toute façon, il n'est pas prévu avant deux bonnes semaines. ». C'est là que le bébé, pour montrer une bonne fois pour toutes qu'il ne ferait que ce qu'on n'attendait pas de lui, choisit de se pointer largement en avance.

Pendant l'accouchement, si d'aucuns se dégonflèrent et se retrouvèrent classiques, dans le couloir à fumer et à se bouffer les ongles, beaucoup au contraire firent exactement ce qu'on attendait d'eux. Quand il fallut pousser, ils poussèrent ; respirer, ils respirèrent ; compter, ils comptèrent ; expulser, ils expulsèrent; Leboyer, ils Leboyèrent.

Pleurer, nous le fîmes en chœur, la main dans la

main, le regard noyé dans la fossette de Gustave tendrement blotti tout contre notre poitrine.

Les débuts du nouveau trio furent idylliques. Si l'on excepte le retour immédiat de la maternité qui laissa plus d'une nouvelle mère sur les rotules. Entre Marion hurlant parce que le sein maternel — crevassé pire que les Grandes Jorasses — n'arrivait pas assez vite et son NouveauPère tout neuf, gémissant dans son lit avec 40° de fièvre (daddy blues évident), il a fallu faire face. Dans l'urgence. Comme si de rien n'était. Slalomer de l'un à l'autre sans faire de chouchous, de peur de reprise aiguë de la crise.

Mais très vite les choses se mirent d'elles-mêmes à leur *vraie* place. Le NP langea, talqua, biberonna, rotota à tout va. Enfin, dès qu'il pouvait. Il devint imbattable sur le prix des Pampers, la soupe de carottes et le câlin du soir.

Ravies, nous avons clamé partout que c'était arrivé. Que nous avions gagné. Que le NouveauPère était vraiment une affaire. Nous étions sous le charme. Lui, il n'en revenait pas de s'être glissé si vite dans le personnage. Attendrissant c'était, de les voir vivre ensemble, le NouvelHomme et l'enfant, tous deux si malhabiles.

Il s'est pris au jeu, beaucoup parce qu'il aimait, un peu pour la galerie. La mode s'en emparant, on lui a consacré des thèses, des romans, des articles. Les magazines en ont fait leurs choux gras. « Comment j'ai accouché », « Je suis rentré à la maison », « Je suis un père-mère », etc. On l'a vu en photos sur toutes les couvertures, SON bébé dans les bras (cf. Gérard Holtz, sémillant journaliste sportif, posant à la une de *Télé 7 jours*, l'air encore plus fiérot qu'une jeune accouchée, avec son nouveau-né). Le papa-poule, ce drôle d'oiseau appelé aussi pélican, était né. Il ne restait plus qu'à le faire s'envoler.

Sur le pélicanisme, le ciné, tel un aigle, a tout de suite

fondu. Et enchaîné. *Kramer contre Kramer, Le Complexe du Kangourou* ou le célébrissime *Trois hommes et un couffin* pour ne citer que ceux-là. Et les pubs s'en sont donné à cœur joie : à eux les p'tites fronces, les p'tits pots, les p'tits beurres, les p'tits bateaux, réservés de toute éternité aux femmes depuis l'invention de la maternité Jusqu'à la sacro-sainte grossesse plagiée par le papa du bébé Cadum portant haut sur le ventre, et sur tous les murs de France, le fruit de ses entrailles.

Donc, le NP s'est fait disséquer, interviewer, sacraliser. Car cet éminent bébologue avait un avis sur tout ce qui concernait son petit. Sein à la demande (sans raconter bien sûr comment il nous encourageait d'un « ma pauvre chérie, tu es courageuse » pâteux quand nous nous levions toutes les deux heures la nuit pour sustenter le monstre) ; température du bain (jamais il n'avouait qu'il avait bien trop peur de le donner lui-même) ; promenade quotidienne (qu'il laissait aux autres le soin d'organiser).

Il nous a volé la vedette et on s'est laissé faire, mi-jalouses, mi-amusées, conscientes qu'on œuvrait pour le bien des enfants et de l'humanité. Enfin, c'est ce que les psy et les diatres, Dolto et Brazelton en tête, se tuaient à nous répéter : « Un enfant materné par sa mère et son père est plus performant, plus intelligent, plus débrouillard, plus équilibré, bref, plus heureux que les autres. » Elémentaire, mon cher Sigmund. Et puis, même s'il avait encore quelques progrès à faire, reconnaissons que le NouveauPère nous soulageait un peu. C'est tout de même plus facile, et personne ne dira le contraire, d'élever un enfant à deux.

Ephémère, l'effet-père

Malheureusement, à mesure que le NouveauPère est passé dans les mœurs, que Monsieur-tout-le monde sait, du moins en théorie, distinguer au premier coup d'œil la *bonne* couche antifuite de la mauvaise, il a pris du recul. Petit à petit, l'enfant a grandi et le NouveauPère a vieilli. S'est détaché de sa belle image. Est devenu un cliché, tout juste bon pour l'album de famille. Papa promenant Bébé, Papa berçant Bébé, Bébé caressant Papa. Ces jolies photos-là, nous en avons des tonnes qui traînent dans les tiroirs, attendant qu'on les classe. Enfin. Et pour toujours.

Car, croulant sous la tâche, l'homme de notre vie a rapidement perdu les pédales : c'était son intérêt. « Fragiles d'un côté, assumant tout de l'autre ? On n'est pas fous, ils ont dit. On n'est que des faibles hommes. Vous êtes tellement formidables, chéries. A vous de vous débrouiller. »

Une suprématie séculaire abdiquée ainsi et de si bonne grâce sentait — forcément — le roussi. Mais ça on ne l'a pas compris tout de suite, ronronnantes qu'on était sous des compliments honteusement démagos : « Ma femme est un vrai mec » ou « Mon épouse ? un chef. » Derrière lesquels, si on avait eu pour deux sous de jugeote, on aurait entendu : « Plus elle en fait, et plus elle peut en faire, et plus je me repose sur elle tout en l'encourageant dans cette voie. »

Bien joué les hommes. C'était de bonne guerre. Et on s'est fait blouser. Programmées pour combattre les machos, on s'est retrouvées en lutte contre Peter Pan. On n'a pas extirpé le mâle à ses racines.

Egalité dans le couple ? OK. Mais on est vite devenues la moins égale des deux. Le NouvelHomme a résolu à sa façon le nouveau partage des tâches : le gratifiant pour lui, le reste pour son admirable compagne, en gros : « Occupe-toi de tout et je ferai le reste. »

Le NouveauPère, une fois l'attrait de l'inconnu disparu (le bib du soir donné en gâtifiant au premier rejeton, le petit derrière dodu nettoyé dans l'euphorie : « Ça sent le caca ces fèfesses à papa. »), s'est presque volatilisé au deuxième enfant, pour devenir quasi inexistant aux suivants. Qu'on essaie de réveiller un ancien Nouveau-Père quand le petit dernier à mal aux dents la nuit... A peine consent-il à sortir le train électrique.

Bien sûr, c'est déjà mieux que rien d'avoir un père qui joue. (Même si nous jouons plus qu'eux : à travail égal et pour faire nos mesquines en brandissant les chiffres, ils consacrent quatre-vingts minutes hebdomadaires en moyenne aux chers trésors dont trente minutes à jouer. Nous, c'est sept heures bien pleines, sans compter les heures sup'passées à peaufiner leur bien-être : achats divers, inscriptions, etc.) Mais nous qui voulions tout, nous sommes tombées de haut. D'accord, en cas de force majeure, le NH se débrouille — même s'il râle — parfaitement sans nous. Mais dans le quotidien, c'est vraiment tuant de *tout* lui répéter *tous* les jours comme si nous étions définitivement le chef et lui l'exécutant. Ce qui nous flatte l'ego mais nous mange la tête. Et comme il travaille tous les jours un peu plus, ses raisons pour se défiler lui semblent imparables. En attendant, si Raphaëlle doit se faire opérer, c'est nous qui annulons deux journées de boulot. Pas lui.

Et nous avons fini par nous en contenter. En soupirant, mais bien obligées d'œuvrer pour éviter le désastre. On admire le NouvelHomme pour ce qu'il sait faire et on ne se plaint plus de ce qu'il ne fait pas. Nous voilà revenues comme nos mères, nos grand-mères, à l'Ordre Ancien des choses. Avec un petit plus, un peu de saupoudrage façon années quatre-vingt, un zeste d'humour, une façon différente de parler aux enfants, trois pincées de pipi-papa-dodo, quelques pirouettes pour épater la galerie. Du vent que tout cela.

Finalement le NouveauType est une douce escroquerie. De l'esbroufe, de la fumée, de la roupie de sansonnet. Le mutant est resté archaïque. Au mieux, il n'a gardé du NouvelHomme que les défauts. *Allô maman bobo* dès le moindre pépin, fragile jusqu'à la casse et comptant sur nous pour recoller les morceaux. Au pire, il est redevenu ce qu'il n'avait jamais cessé d'être, un macho. Nouvelle tendance, certes, pour mieux faire avaler la pilule. Mais derrière le gadget il n'y a plus grand monde.

La coup(l)e est pleine

La question est posée. Pourquoi ce ratage ? Ont-ils peur de nous ? Peur de n'être finalement plus si indispensables, puisque nous pouvons, de fait, tout assumer ? « Lorsque les hommes constatent que les femmes sont capables d'assumer deux rôles avec succès, cela met à nu chez eux une peur inconsciente : peut-être le sexe dit faible est-il en réalité le sexe le plus fort ? » (T. Berry Brazelton*.)

Ont-il la trouille de se faire bouffer tout entiers par les castratrices, les mantes religieuses que nous sommes, eux-disant, devenues ? « Tout en reconnaissant volontiers la légitimité des revendications égalitaires des femmes, beaucoup les ressentent comme une insupportable menace pour leur virilité. » (E. Badinter**.)

Bizarre, bizarre, cette débandade généralisée, cette fuite en avant façon « Cours après moi que je t'attrape ». Angoissés à l'idée de perdre leur sacro-sainte virilité, ils préfèrent retrouver le monde tel qu'avant il était sans avoir toujours bien compris qu'il était difficile

* Ouvrage cité.
** Ouvragecité.

de revenir en arrière. Qu'en tout cas nous, nous ne reculerions pas.

Le pire est que cette régression touche trois hommes sur quatre. Presque tous. Les pères et les célibataires, les libres comme l'air et les mariés à vie. Pas de distinguo. Mais une constante dans la reddition. « Quand les hommes rechignent au partage, ils rompent le contrat de solidarité et de réciprocité, fondement de la vie conjugale... Lorsque les femmes jouissent d'une relative indépendance, elles ont alors tout intérêt à divorcer. » (Elisabeth Badinter*.)

Bien evidemment, lorsque le NouvelHomme disparaît peu à peu au profit de l'ancien, les SuperWomen ne veulent plus assumer. Elles préfèrent de loin prendre la poudre d'escampette plutôt que d'avoir un enfant de plus à materner (70 % des divorces sont aujourd'hui demandés par les femmes). Car de nos jours l'amour se fonde sur le donnant donnant · « S'il m'aime, je l'aime. » Si le partage devient inégal, on se casse. Tant pis pour les violons. Les SW savent que seules, elles pourront toujours s'en sortir. Elles connaissent tous les rôles et toutes les ficelles. Pas à la hauteur, leurs hommes ne sont plus que les bourdons de la reine. A jeter. (L'époque est devenue terrible qui balance hommes et objets dès qu'ils sont consommés. Pire peut-être qu'avant, quand on restait ensemble rien que pour les enfants. On ne sait plus ce qui est le plus triste, de ces couples suant la haine et l'ennui qui n'ont jamais rien eu à voir ensemble. Ou de ceux qui se détachent dès le premier accroc, sans rien entreprendre pour se raccommoder ?)

Mais ne sous-estiment-elles pas l'irremplaçable ? L'Amour, toujours lui. (En deux mille ans de recherches

* Ouvrage cité

sur le sujet, on n'a encore rien inventé de nouveau.) La vie en solo est souvent difficile même quand on sait tout faire. Alors elles rament encore pour se retrouver un autre SuperMec, retour case départ. Car si on sait ce qu'on quitte, on ne sait pas ce qu'on retrouve. Quand on retrouve. L'incompréhension mutuelle semble être de rigueur. Echaudés, les hommes restent sur leurs gardes. Les femmes s'exclament : « Il n'y a plus d'hommes. » « Ils sont devenus des mollusques. » « Ils se laissent porter par les courants, ne nagent pas. Ils ont peur de nous*. »

Eux répondent : « Y a-t-il encore des femmes ? A force d'avoir défendu leurs droits, elles ont oublié qu'elles avaient aussi celui d'être heureuses. » « Elles nous veulent forts, virils mais pas machos, amoureux mais pas jaloux, présents mais pas collants, fermes mais tolérants. Ça fait beaucoup**. »

Beaucoup pour un seul homme. C'est vrai que s'ils pratiquent ainsi à haute dose la saine politique du « Courage fuyons », c'est que nous sommes, à leur égard, très ambiguës. Nous ne les supportons pas à la traîne. Nous les voulons les meilleurs, les plus intelligents, les plus riches, les plus séduisants, mais aussi les plus gentils, les plus complices, les plus amoureux et les plus camarades. Des spécimens de foire à la fois SuperMen et Nounours. Le portrait-robot de l'homme idéal est parfaitement dessiné dans nos têtes. Ambitieuses ? Peut-être. Mais comment ne pas être exigeantes avec eux alors que nous le sommes tellement devenues avec nous ? Nous, on se conforme aux nouveaux modèles en râlant. Eux, ils préfèrent prendre la tangente.

Et voilà pourquoi le NouveauPère se fait la paire, le Nouveau Mâle, la malle. Mais peut-être, cahin-caha, reste-t-il encore quelques (nouveaux) couples heureux...

* Ouvrage cité.
** *Elle*, juillet 1986.

II

La faute à la pub, aux Mauvais Exemples et aux médias

> « J'ai de la chance, mon image passe bien. Cinq enfants, un couple souriant, ma réussite plaît. »
>
> Catherine PAINVIN,
> PDG de Tartine et Chocolat*.

Elles l'affichent (trop) bien

Elle assure en Rodier, elle change de jules comme elle change de pull, elle veut tout avec Lesieur. La femme-pub des années 80 a laissé la bombe Pliz à sa femme de ménage, abandonné la fronce anti-fuite au père de son enfant et elle s'éclate. Dans l'avion qui l'emmène au Caire pour un reportage « sur le vif coco » (avec dans sa sacoche le déodorant sans lequel sa Vie Active ne serait pas ce qu'elle est) ou, chapitre grand amour, au Danieli à Venise, avec le Dim de sa vie.

Son alter égale, celle des magazines, court dès le matin d'un Pas Décidé Vers Son Destin, le cartable — bourré de dossiers clés — assorti à son tailleur Mugler, *Libé* ou *Le Monde* sous le bras (autre signe des temps, le Top-

* *Femme manager spécimen d'avenir*, Florence LAUTREDOU, éd Carrère-Michel Lafon, 1987.

Model a désormais un Top-Cerveau), réussit les pâtes fraîches maison mieux que les Fiches-Cuisine elles-mêmes, connaît sur le bout de ses ongles laqués (cf. rubrique beauté, l'article « Vos mains, quel pied ») l'indice du Dow Jones (cf. rubrique éco, « Faites votre (second) marché à La Bourse ») et le rapport vitamines-calories du pain complet (cf. rubrique diététique, « C'est réales que j'aime »). Et se passionne pour *tout* du moment que tout tourne autour d'elle. Enfants, beauté, mode, couple, déco, psycho, vie pratique, etc. Parlez-moi d' moi, y' a qu' ça qui m'intéresse. Car selon l'adage bien connu des rédactrices en chef, toutes les femmes sont ego.

Leur cousine germaine, le modèle haut de gamme ou Mauvais Exemple (*Jane Birkin, Anne Sinclair, Michèle Barzach, Jane Fonda, Agnès B*, etc.), complète la famille des femmes parfaites et parfaitement médiatisées. A la fois tellement proches de nous et tellement inaccessibles, ces quintessences de SuperWomen qui ont absorbé, digéré et adapté à leur propre sauce le féminisme et ses à-côtés font tout avec sourire impec' et discours ad hoc, en semblant se jouer des difficultés de l'Existence Alors qu'elles rament — au moins un peu — comme les autres...

Car de Meryl Streep téléphonant à Nicholson pour éclaircir un point du scénario de *la Brûlure*, la petite dernière hurlant sur ses genoux, les deux aînés s'étripant à ses pieds sous l'œil hagard de la jeune fille au pair, au commun des mortelles, c'est-à-dire *Nous*, le scénario est en principe exactement le même. En principe. Il y a l'épate pour la galerie (au « Comment faites-vous pour concilier votre vie d'actrice, de mère, et de femme » posé par *un* intervieweur crétin, elles opposent toutes avec un grand sourire un « Très simple, il suffit de s'organiser »). Et la vérité brutale qui apparaît, une fois la porte du sweet home enfin refermée sur le journaliste déjà trop loin pour entendre les hurlements qui résonnent enfin librement dans cette radieuse maisonnée.

Mais contrairement à nous, elles, épanouies, radieuses, en noir et blanc ou en couleurs, sur double page ou sur petit écran, donnent du matin au soir l'impression — exaspérante — que leur vie n'a pas de côté cour, celui où on descend les poubelles le soir, en grommelant qu'on était programmées pour une autre existence. Seulement un côté jardin, rempli de roses dont les épines loin de les endolorir leur servent bien opportunément d'aiguillon.

Et nous, pauvres gogottes, moutonnières et envieuses, nous tombons tête baissée dans le panneau, les regardant toutes ces plus-que-parfaites comme un reflet mille fois grossi de ce que nous sommes. Ou de ce que nous voudrions être. En rêvant de les égaler, voire de les surpasser. D'être à la fois Raquel Welch et Georgina Dufoix, la dame Rodier de la pub et Jane Birkin, la fille bronzée sans cellulite en couverture de *Elle* et celle qui prépare si bien, page 143, le « buffet vert et blanc pour une soirée entre copains ».

Et comme des cinglées, nous ramons, nous courons pour rattraper ces super-caricatures de nous-mêmes. Tant ce besoin de consommer qui nous tenaille et nous fait acheter le frigo de la pub, le pull du mannequin, ou le journal qui dévoile l'intimité de nos stars préférées, nous donne envie aussi d'imiter le support, la SuperNana qui valorise l'objet ou celle dont la vie sublimée pourrait tellement ressembler à la nôtre.

Incorrigibles, on prend pour argent comptant leurs grandes déclarations (« Je pense que la cellule familiale est quelque chose d'important dans notre société même si ça comporte quelques problèmes » *Meryl Streep**),

* *VSD*, novembre 1986

leurs vies de rêve, exagérées, mythifiées, par autant de journalistes, témoins subjectifs, qui éliminent soigneusement tous les revers de leurs médailles pour ne présenter que le bon profil. Celui, croient-ils, que leurs lectrices (teurs) réclament. Et par autant de publicitaires *décalés*, toujours en avance d'une mutation de société.

Filles de pub

La pub, voilà bien l'ennemie numéro 1 à combattre. A cause d'elle, les femmes libérées sont devenues une institution, un tabou inviolable. « La publicité épouse et même accélère, la chose est rare, le mouvement de l'époque. Les femmes sont devenues les locomotives de l'invention publicitaire » *François Cuel**. Locomotives ? TGV, oui plutôt. Lancées à toute allure, il faudrait une catastrophe ferroviaire pour les arrêter. Comme cette Madame Rodier, roulée comme une déesse, sûre de son charme et de son bon droit, qui balance à longueur de journaux : « J'écrirais bien un livre mais je ne sais pas quoi mettre pour passer chez Pivot » ou encore : « J'me trouve de plus en plus belle, j'devrais peut-être voir un ophtalmo. » C'est la supermadonne des spots, la tornade blanche de la réclame, la pasionnaria de l'annonce. « Madame Rodier agit. Elle ne s'interroge pas, elle décide. Elle a un comportement absolument utopique dans des situations absolument prosaïques », écrit encore François Cuel. Utopique ? Peut-être. Mais qu'est-ce qu'on aimerait faire pareil de temps en temps, histoire de rigoler un peu. Draguer éhontément Eddy Mitchell dans un grand hôtel (remplacé éventuellement par William Hurt ou Jean Durand). Ou, pas dégonflées

* *Médias*, avril 1985.

pour deux ronds, stopper une voiture dans la rue parce qu'on ne trouve pas de taxi pour nous emmener à Roissy. « La femme Rodier est un homme déguisé », ajoute François Cuel.

« Leur plénitude les rend (les femmes) presque dominatrices », dit *Alain Poiré*, directeur de l'agence Dupuy Saatchi à propos de la pub Lesieur « Je veux tout »*. Macho ? Le mot est presque lâché. En tout cas, elle nous fait rire, elle ose, elle a du culot, du peps', c'est vraiment une SuperWoman. Alors pourquoi pas nous ?

En plus il y a toutes les autres, les intello, les chipies, les insolentes, les démerdardes, les sexy-rigolotes. *Caroll* : « Mon Jules a un Jules ? », *Citroën* : « Révolutionnaire ? », « Non, deux jambons beurre », sans oublier la grande perche *Vittel*, qu'on n'imagine pas une seconde en train d'« é-li-mi-ner », celle des chaussures *JB Martin* qui a « mis un homme à ses pieds » et la petite *Dim*, qui, elle, les met tous sens dessus dessous.

Et l'homme dans tout ça ? Exit. Du balai. Au rancart. C'est seulement dans la peau du NouvelHomme (voir chapitre du même nom) que le héros s'épanouit, glissant sur la pente savonneuse de papa Cadum ou de Vittel, « J'suis tout mou, j'suis raplapla ». Sinon, il joue surtout les utilités. Dans le quotidien, c'est désormais lui qui se tape tout le sale boulot, la vaisselle (merci Mini Mir), le caca du pitchoun' (merci Nouveau Pampers et son dialogue d'une bêtise insondable), la bouffe (surtout quand grand chef Ducros se décarcasse) etc. Pour le reste, dans le feu de l'action, la vraie (hormis les indécrottables émules d'Indiana Jones ou de James Bond, qui vendent de la banque ou des points retraite grâce à leur look de héros et nonobstant un léger retour à l'homo

* « Images de femmes », supplément au *Monde*, mai 1987

musculus, type Total ou slips Dim), ce sont les nouvelles aventurières qui assurent.

Et c'est vrai qu'elles sont épatantes ces petites femmes-là. TP (tour de poitrine) proportionnel au QI, elles savent s'habiller pour mettre tous leurs charmes en valeur, séduisent avec humour, ont des enfants superbes, des mecs à tomber, des jobs assortis et font face sans se démonter. Comment ne pas être tentées de leur ressembler à ces nouvelles héroïnes ?

On en revient presque à la bonne vieille époque du cinéma de maman. Quand les stars faisaient rêver les filles, grandes et petites, et que toutes, de la vendeuse à la dactylo, arboraient l'oxygénée Marilyn ou la choucroute Bardot. Mais aujourd'hui les idoles se banalisent. Elles préparent la *pasta al dente* devant le photographe de *Match* qui passait là par hasard, elles n'ont surtout pas besoin, pour vivre heureuses, de vivre cachées mais de montrer tout ce qu'elles sont capables de faire une fois qu'elles ont quitté le boulot. Et ce sont les spots de pub et leurs divas divines qui remplacent les films culte avec en vedettes Madame Rodier, Miss Caroll, et consœurs.

Et nous, nous sommes leurs cibles privilégiées (normal, c'est nous qui achetons) en même temps que leurs groupies préférées.

Dangereuses ? Oui, elles le sont, à nous entraîner ainsi sur la pente des « A femme vaillante, rien d'impossible » et autres acrobaties décrétées obligatoires par l'époque. Tout juste peut-on leur accorder les circonstances atténuantes, car elles ne sont pas les seules à nous encourager d'une main tout en nous démoralisant de l'autre..

Les Mauvais Exemples

Curieuse, cette fascination que nous avons pour toutes ces dames pipeules*. Et pour le moins ambiguë. On les admire, on se jette sur la moindre interview, on détaille d'un œil critique et envieux leurs fringues, leurs corps, leurs maisons, leurs mecs, leurs mômes, leurs emplois du temps, leurs chiffres d'affaires. Normal qu'on craque. Elles font tout mieux que nous, même si par modestie ou pure démago, elles disent le contraire. Et en plus elles, elles sont connues, reconnues, les journaux se les arrachent, elles sont de toutes les fiestas, de tous les endroits où il faut être sans que jamais un œil cerné, un cheveu pendouillant ou une légère crispation du zygomatique, tendance sourire forcé, ne trahissent leur fatigue ou leur ras-le-bol.

Exaspérantes. Elles sont exaspérantes de perfection. Même leurs défauts, leurs faiblesses qu'elles avouent sans complexes, n'en deviennent que plus touchants. Elles nous montrent le droit chemin. Celui du boulot forcené toujours récompensé par le fric, la réussite, la reconnaissance sociale ; celui de la vie familiale harmonieuse et de la vie amoureuse tumultueuse, les deux allant naturellement ensemble ; celui de la beauté tranquille ou provocante, même si les plus sublimes d'entre elles, pour pas qu'on les jalouse, parlent toujours de « beauté intérieure » ou de « miroir de l'âme »... ; celui de l'équilibre, du courage, et de toutes les qualités qu'elles ont en double ou triple exemplaire. Forcément puisque ce sont des stars...

Et nous, envieuses que nous sommes, on meurt d'envie de faire pareil.

Perfides, insidieuses, les *Mauvais Exemples* se répartis-

* De l'anglais *people*, stars à l'affiche. Se prononce *pipeule* en jargon journalistique.

sent en trois catégories pour mieux nous appâter. *Les easy life ou stars popotes, les « marche ou crève »* et *les « prenez-en de la graine. »*

Les « easy life », ce sont les *Jane Birkin, Charlotte Rampling, Meryl Streep, Marie-France Pisier, etc.* Des stars. Des vraies. Des superbes, des glamour, des sex-symbol que la plupart des mecs rêvent d'approcher au moins une fois dans leur vie. Qui lorsqu'on leur parle *Je t'aime moi non plus* ou *Portier de nuit* répondent bébés-confitures et échangent sans complexes les dessous chics à l'écran contre le vieux jean délavé à la ville, les projecteurs contre l'aspirateur.

En rappelant mine de rien à l'intervieweur baba qu'en plus elles lisent et pas que des BD, jardinent, cuisinent et sont toujours prêtes à relever de nouveaux défis (*La Fausse Suivante* mise en scène par Chéreau pour Birkin ; six mois de tournage au Kenya dans *Out of Africa* pour Meryl Streep ; concerts et promotion de disque enceinte pour Elli Medeiros ; films, enfants, romans qui s'enchaînent dans l'ordre pour Marie-France Pisier, etc.) Ces bonnes élèves-là ont mention très bien dans toutes les matières, tout en tapant le genre « Je réussis sans effort ». Elles semblent se jouer de tout avec une apparente facilité. C'est du moins l'image qu'elles donnent ou veulent donner.

L'exemple type : *Jane Birkin*, quarante ans, l'air, sans y toucher, d'en avoir trente, trois enfants de trois pères différents — la petite dernière a cinq ans, l'aînée vient de la rendre grand-mère —, des hommes, et pas des moindres, de Gainsbourg à Doillon, toujours transis d'amour pour elle, le cinéma (un film par an), la chanson (un tour de chant très réussi au Bataclan), une maison ravissante souvent photographiée dans les magazines : la cuisine joliment décorée à l'anglaise, la salle de bains-boudoir où se mêlent plantes, photos de famille et flacons anciens, bref une ambiance chaleureuse au fouillis étudié où il fait bon vivre. Plus la beauté, l'humour, la générosité, la tendresse et l'inimitable accent british, qui transparaît à travers chaque interview. Une SW, mine de rien, comme ça, en passant. Elle ne s'étale pas sur le quotidien, ne se plaint pas d'avoir à changer Baby Lou ou d'aider Charlotte à faire ses devoirs. Tout chez elle coule de source.

Et nous, lectrices et fans, on se prend à avoir envie de réussir divinement le pudding comme elle doit le réussir, de le servir dans de jolies assiettes en porcelaine, comme elle doit le servir. De faire de nos enfants de petits génies sans être de petits singes, comme le sont probablement les trois siens (cf. Kate, styliste, Charlotte actrice déjà *césarisée* et chanteuse déjà *disqued'orisée*). Tout en se jurant bien que même à l'âge respectable de Mamie Nova, on continuera comme elle, à porter des baskets avec un jean délavé et, comme elle, à faire rêver les hommes. Tous les hommes. En attendant, c'est nous qu'elle fait rêver.

Dans la même série, il y a *Meryl Streep*. Star mondiale, elle joue avec les plus grands, Redford, De Niro, Nicholson, etc., sans faire tourner plus que ça sa jolie tête de blonde équilibrée. Un mari sculpteur qu'elle semble adorer, trois bambins qu'on devine beaux et blonds et qu'elle emmène avec elle sur les tournages, elle a tout et elle est tout. Chaleureuse, épanouie, bonne mère, bonne épouse... (On fantasme un petit peu sur les relations qu'elle doit avoir avec ses partenaires, mais après tout, c'est de bonne guerre, on n'est pas de bois, elle non plus, et son Don Gummer de mari doit fermer les yeux s'il ne veut pas risquer de perdre cette petite merveille.)

A l'inverse de Jane Birkin, elle raconte plus volontiers

sa vie de tous les jours dont elle présente les aspects triviaux et domestiques comme s'il s'agissait d'un conte de fées sans cesse renouvelé. « A Salisbury, je peux faire librement mon marché, me promener sans avoir à me soucier de mon apparence physique » (dire qu'il faut être star pour trouver merveilleux le cheveu en bataille et le vieux pull démodé des jours de marché...). Si elle se plaint, c'est du bout des lèvres, pour dire que oui c'est compliqué, mais que bon, elle finit toujours par se débrouiller... On imagine très bien ses journées passées, quand elle ne tourne pas, dans sa petite maison du Connecticut, pas maquillée, en baskets et jogging blanc « d'où elle ne sort que pour faire ses courses à l'hypermarché avec caddie et accompagner sa progéniture à l'école* ». Avant de redevenir quelques jours plus tard, à l'occasion de la remise des Oscars, la Star que l'on connaît. Pour ces équilibristes-là, le fin du fin, c'est de traverser le quotidien en artistes.

Les « marche ou crève ». De luxe, évidemment. C'est le deuxième modèle. Les *Anne Sinclair* et consœurs, les *Michèle Barzach, Christine Ockrent, Agnès B, Michèle Rocard, Catherine Painvin* PDG de Tartine et Chocolat, *Marion Vannier,* PDG d'Amstrad, *Françoise Fabius,* etc. Elles, ce ne sont pas des bombes sexuelles même si elles sont en général jolies et pleines de charme. Elles auraient plutôt le charme discret de la bourgeoisie, rassurantes avec leurs petites imperfections, leurs trois kilos en trop, leurs petites misères qu'on connaît si bien.

Car elles racontent tout. Le 39°7 du petit dernier, les paquets de couches dans la 2 CV Charleston, ou le souper de leur homme rentrant exténué d'un meeting à trois heures du mat' alors qu'elles se lèvent à sept pour

* *VSD*, novembre 1986.

aller au boulot (car il existe une catégorie sacrément balèze, celle des femmes hyper-actives d'hommes politiques qui en plus de leur propre carrière ont comme principal souci de pousser l'élu — de leur cœur — le plus loin possible dans les hautes sphères du pouvoir. Et de l'y maintenir.).

C'est le modèle réaliste et honnête qui avoue ses difficultés mais continue à avancer. Coûte que coûte. Car la marche, même si elles en crèvent, est tout compte fait agréable. Au bout il y a La Réussite *et* Les Honneurs.

Mais pour y arriver la route est rude. C'est SuperWoman poussée à son paroxysme.

Exemple, *Anne Sinclair.* Une simple lecture de son agenda résume son parcours effréné de la combattante* : « *Lundi 8 h 45*, rendez-vous avec un journaliste d'*Actuel* ; *11 h 30*, Matignon pour les vœux de Chirac ; *12 h 30*, déjeuner avec le comte de Paris ; *16 h 30*, réunion de production à TF1 ; *18 h 30*, aller présenter ses vœux à Balladur, puis appeler le pédiatre pour faire vacciner Elie, trois ans, le petit dernier, et encore rendez-vous avec le radiologue et encore un dîner en ville. » « Depuis un an, reprend le journaliste, ce n'est plus une carrière que mène Anne Sinclair, c'est un marathon. »

Il suffit de remplacer comte de Paris, Chirac ou Balladur par chef de service, annonceur ou client pour que nous nous y retrouvions toutes. Ou presque. Mais il y a un plus. Anne Sinclair mérite le titre de SuperSuperWoman puisqu'elle ne fréquente que le gratin du gratin. Tout ce qu'elle fait prend une dimension magique. Même si elle essaie de se disculper : « Je mène la vie de toutes les femmes qui travaillent. Une vie enrichissante, certes, mais éclatée, tiraillée. Je ne suis jamais où je devrais être. J'ai une conférence de rédaction et le petit a

* *VSD*, janvier 1987

38°, je passe d'un rendez-vous avec Chirac à l'achat d'une canadienne en pensant, attention il y a le dentiste, le pédiatre, le prochain *Questions à domicile*. L'indisponibilité permanente. Finalement, quoi qu'on en dise, un homme aussi dur travaille-t-il a son boulot et rien d'autre. Tandis qu'une femme a des vies successives. Alors je me lève tôt, je galope toute la journée, je vis dans ma voiture*. »

Ce qui fascine les femmes, c'est qu'Anne Sinclair vive la même vie qu'elles, l'avoue et s'en sorte — apparemment — très bien. Elle a tout. Vie professionnelle, intellectuelle, familiale, conjugale, sociale, et surtout la réussite avec un grand R puisqu'elle vient d'être proclamée *femme de l'année*. En plus elle est belle, charmante, sympathique, humaine. Ce sont ces qualités-là de cœur et de chaleur qui la rendent accessible, la déstarisent et en même temps bâtissent sa popularité. En la voyant si proche d'elles avec son charme, ses rondeurs, ses fossettes, son air sérieux de bonne élève qui n'aurait pas oublié d'être bête, les postulantes SW se disent : « Ce qu'elle fait, je peux bien le faire », ou « Si elle y arrive sans se plaindre, moi aussi ».

Dans la même série, il y a *Agnès B*, quarante-cinq ans, le beau visage pur d'une communiante qui aurait arrêté de vieillir, styliste, cinq fois mère (ses enfants s'échelonnent de vingt-sept à quatre ans) et deux fois grand-mère, elle dirige d'une main de fer sous ses airs angéliques une des entreprises de mode les plus florissantes et branchées du pays. Sept boutiques à Paris, autant en province et à l'étranger, célébrissime sur l'axe New York-Tokyo, douze milliards de chiffre d'affaires annuel. Bref, elle est la BusinessWoman que tout le monde rêve d'être, avec un plus, un vieux côté baba qui

* *VSD*, janvier 1987.

lui fait sûrement, quand l'envie lui en prend, réussir comme pas deux ses confitures et ses boutures.

Son look médiatique ? Une timide, douce et obstinée, qui transforme en or tout ce qu'elle entreprend, se paie en plus le luxe de faire des enfants (avec des pères différents) et de les élever tout en travaillant. Une Executive Mamma de rêve. « Ici (chez elle) pas de nurse ou de jeune fille au pair, écrit *Françoise Tournier* dans *Elle**. Elle en aurait cinquante fois les moyens, mais elle veut rester tout près de ses enfants. J'ai vu une femme de ménage partir quand Agnès est arrivée. » (Et toc dans les gencives des pauvres connes qui s'échinent à payer baby-sitter et autres nounous. Super Agnès, dixit la journaliste, peut tout faire, elle, et ses gamins, auront non seulement la fierté d'avoir une mère qui réussit mais s'éviteront le traumatisme d'avoir été élevés par une autre...)

Plus loin : « Ça fait quatre ans qu'elle ne sait pas ce qu'est une nuit dormie d'un seul trait. Le biberon d'Iris (la petite dernière) ou de Léonard, son petit-fils, le pipi d'Aurore ou le cauchemar d'Ariane (ses filles cadettes). Elle est toujours sur le front, et elle aime. » Et encore : « Au milieu de tout ça elle n'a pas d'états d'âme. » Encore heureux car là, on se demande vraiment où, mon Dieu, elle en trouverait le temps. On nous précise tout de même qu'elle va quelquefois passer un moment dans une église. Un petit havre de paix, sa respiration à elle, l'équivalent du point de croix de *Régine Desforges*. (Autre SuperWoman bien connue, catégorie édition, canevas, best-sellers, enfants, petits-enfants, gigot du dimanche et madone du sexe).

Inutile de préciser qu'avec cette branche-là, on est loin d'être sorties de l'auberge. C'est nous, crachées, en mille

* Septembre 1984.

fois plus performantes. Alors, qu'est-ce qu'on attend pour se mettre au boulot, broderie et métaphysique en prime ? Ces inconscientes-là, pour sûr, nous cassent le métier.

Les « prenez-en de la graine ». C'est le dernier genre, différent mais tout aussi redoutable. Les *Jane Fonda, Raquel Welch, Sophia Loren, etc.*

Un modèle totalement nocif comme les deux précédents mais qui a au moins l'honnêteté d'avancer à visage découvert. Ces SW affirmées et pas peu fières de l'être offrent en prime et sans compter (elles en vivent) leurs recettes du bonheur en cassettes, livres, articles, cours, etc., à leur fidèle public composé essentiellement de femmes. (Les mecs, eux, préfèrent toucher les bénéfices de leurs règles de vie draconiennes, c'est-à-dire mater à longueur de photos, sous toutes les coutures, les corps sculpturaux de ces acharnées de la tonicité.) On ne peut pas ouvrir un journal, et pas seulement féminin, sans tomber sur elles, stars béates en famille ou au gymnase racontant leurs vies hyperactives sans qu'une mèche de leurs cheveux soigneusement coiffés ne bouge lorsqu'elles expliquent, clichés à l'appui, leurs trois mouvements-de-base-pour-garder-les fesses-fermes.

Modèle type et — ô combien — exaspérant : *Jane Fonda*. Presque cinquante ans, elle en paraît bien sûr trente-cinq (mais assume ses rides), un corps de rêve, deux enfants, un mari plus jeune et hyper-amoureux qu'elle soutient dans ses activités politiques, une carrière internationale au cinéma (elle en est à son deuxième Oscar), une multinationale du corps gérée au pas de course et la pêche en toutes circonstances.

Oui, Jane est bien la femme exceptionnelle que tous les Tarzan rêvent d'avoir pour épouse. En plus, elle est honnête, directe, carrée, à l'américaine. Saine, quoi. Le genre : « J'annonce à la face du monde que j'ai un cancer mais que j'me soigne. » Elle arrive toujours à caser dans ses interviews que la SW ce n'est pas elle, qui a les moyens d'en être une et qui a choisi de persévérer dans cette voie, mais toutes les autres femmes qui doivent tout assumer sans moyens énormes. Bien sûr on la croit. Mais nous les *autres*, en la voyant si belle en son miroir, si épanouie à l'âge où d'autres commencent à glisser doucement vers la ménopause ragnagnante, on se pose des questions. On veut nous aussi être comme elle. Et paf, ça ne rate pas. Soufflant, pestant, on rajoute à toutes nos activités principales et secondaires cette vache d'aérobique.

Dans le même moule (qui doit s'être cassé depuis car on n'en fabrique plus des comme ça), on trouve *Raquel Welch*. Elle, c'est la Grande Prêtresse de cette secte étrange qui surveille sans relâche le moindre pouce de cellulite sur un corps raboté au milligramme près (c'est son gagne-pain). Et concocte pour les pauvres débiles que nous sommes d'étranges et magiques régimes à l'eau et au pain (complet) sec. Une fois de plus bavant sur sa minceur, on adopte le régime cosse de haricot vitaminé, qui se termine invariablement le soir entre six et huit dans une orgie de Toblerones ; on s'échine dans des salles de gym surpeuplées, en mini-justaucorps exactement le même que sur la photo. L'embêtant, c'est que les deux images (la sienne et la nôtre) se superposent très mal. Chez elle, rien ne dépasse de l'élastique et tout, du front à l'orteil, est impeccablement bronzé, épilé, gommé, limé, aseptisé.

Nous, c'est plutôt l'inverse et la déprime quand le nez sur nos jambes en essayant vainement « d'assouplir tout ça », on compte les poils qui ont échappé au rasoir sous la douche, les petites veines apparentes, les bleus, les bosses et autres gracieusetés qui nous empêchent d'avoir la jambe tournée façon Raquel. Ce n est pourtant pas faute d'essayer. Mais dans la réalité, les imiter même un peu seulement devient carrément un boulot à plein temps.

Alors moi, je dis stop. Arrêtez. Lâchez-nous un peu, les filles. Vous ne voyez donc pas que vous nous faites plus de mal que de bien en nous envoyant sans désemparer à la figure vos mille et une qualités qui, à côté de vous, les glorieuses, nous donnent l'air de faire tapisserie ? Jamais on ne vous arrivera à la cheville. On aura beau essayer, vivre quarante-huit heures sur vingt-quatre d'une vie riche et remplie, c'est trop pour nous, pauvres mortelles. On n'est ni bioniques, ni magiques. On est des Madame-Tout-le-Monde comme tout le monde. même si l'envie nous brûle d'être souvent plus que ça.

Et puis, par pitié dites-le un peu quand même, avouez-le une fois de temps en temps que pour vous aussi c'est dur. Que vous en bavez, vous en chialez parfois dans votre lit avant de vous endormir. Dites-le-nous qu'on se rassure, qu'on n'ait pas l'impression insupportable, l'angoisse insurmontable, d'être des nulles à côté de vous. Avouez donc que pour gagner vingt-trois briques par mois à la tête d'une chaine de télé, il n'y en a qu'Une c'est Christine. Et que pour qu'elle se maintienne ainsi toute droite, sans faiblir à la barre, d'autres qu'elles se chargeront plus souvent qu'à son tour de câliner son Alexandre de fiston avant de l'endormir. Admettez que pour y arriver, vous êtes bien souvent obligées, même si ça vous fait mal, de sacrifier un élément de vos Vies Parfaites. Et que par la force des choses souvent les enfants trinquent (comment pourriez-vous agir autrement, à moins d'être surhumaines ?). Reconnaissez au moins que pour parvenir-là où vous êtes aujourd'hui, vous avez dû ramer, souquer dur, galérer, que des cadavres jonchent encore votre route. Non, tout n'est pas rose layette comme les babygros de Catherine Painvin. Non, tout n'est pas lisse comme les cuisses sans défauts de la belle Raquel. Non, tout n'est pas facile. La réussite encore moins que le reste. Se maintenir en haut n'est pas donné non plus. Alors, bon sang, dites-le !

Mais si tous ces Mauvais Exemples nous gâchent autant la vie, ce n'est quand même pas tout à fait de leur faute.

Les autres responsables sont ceux qui nous les montrent du 1er janvier au 31 décembre, ceux qui nous pourrissent la tête de conseils en tous genres, ceux qui ne nous lâcheront jamais car nous sommes une mine d'or, un public de rêve, quel que soit notre statut social, PDG ou dactylo, écrivain ou petite main. Lire *Elle* ou *Prima* c'est au fond la même chose, toutes proportions gardées. On nous gave à toutes les lignes de conseils et de recettes pour en faire toujours plus, toujours plus loin, toujours plus haut.

La vie magazine

Coupables donc, ces magazines féminins, ceux que nous lisons toujours chez le coiffeur ou le dentiste pour nous *délasser* (quelle SuperWoman un tantinet frimeuse avouerait qu'elle achète *Marie-Claire* ailleurs qu'à l'aéroport ?), qui à longueur d'année, à longueur de page, donnent conseils, recettes, trucs pour maigrir, bronzer, avoir de belles jambes, de beaux bras, faire ses pâtes fraîches soi-même, redécorer son intérieur en deux coups de pinceau, etc. (Pour être tout à fait honnêtes, depuis que les news magazines se refont des virginités grand public, l'*Obs* titrant sur les régimes ou *le Point* sur les Nouveaux Hommes, on ne peut plus être tranquilles nulle part, à moins de n'être abonnée qu'au *Financial Times* ou à la *Pravda*.)

« Pendant dix ans, on a traumatisé les femmes avec la mode. Il ne fallait pas être futile. Tout ce qui touchait au charme était dénoncé comme acte de soumission. La génération du "*Je*" a amené un désir de charme. La presse féminine est décomplexée et assume pleinement sa féminité », déclare *Juliette Boisriveaud*, rédactrice en chef de *Cosmopolitan**.

« A partir de 1982, les titres haut de gamme effectuent un virage à 180°. Ils proclament haut et fort la mort de la lutte des femmes et érigent en modèle une nouvelle femme qui a su réconcilier féminité et féminisme**. » La nouvelle femme c'est nous, ça on le sait. Alors il nous faut prendre nos responsabilités. Et qu'on fasse tout bien comme c'est marqué dans les journaux. Sans se tromper. Sous peine de réintégrer la catégorie détestée, celle des anciennes femmes qui n'étaient *que* féminines. Nous on est féminines et décomplexées. Nuance. La preuve, on peut préparer un cours en amphi sur « L'histoire de la pensée économique » tout en se faisant un brushing, et/ou en mijotant le canard aux pommes du dîner.

C'est vrai qu'il n'existe rien de plus déprimant que la lecture à la file de ses magazines préférés (alors qu'on ferait bien mieux de consacrer cette heure et demie de liberté chérie, arrachée à grand-peine, à raffermir notre intellect avec le dernier Finkielkraut). *Elle, Marie-Claire, Biba, Cosmo, Vingt ans* (si, si, par masochisme pur), *Vital* (l'horreur absolue, notre enfer quotidien est pavé de

* Echo de la Presse et de la Publicité, décembre 1986.
** *La Presse féminine*, « Que sais-je ? », PUF.

leurs bonnes intentions), *La Maison de Marie-Claire*, etc., pas de quartier. Le pire de tout étant de s'y abîmer juste avant l'été, au moment où les régimes-minceur se ramassent à la pelle (les souvenirs — de bombance — et les regrets aussi). Et où, horreur, les corps des mannequins se dénudent.

On en sort bourrelées (de remords) devant nos bourrelets, déprimées, dévastées, anéanties par ce qu'il nous faudra *être* pour tenir le coup (minces, bronzées, sans cellulite, intelligentes, cultivées, sexy, etc.). Et par ce qu'il va falloir *avoir* pour rester dans le coup (le dernier Magimix, le canapé d'Andrée Putman, la petite robe moulante de Lolita Lempicka, les mocassins en daim, les baskets Converse pour Théophile, les fringues des créateurs aux Trois Suisses, la dernière crème thermo-chauffante pour les cuisses, etc.). Sans parler des interviews des SuperWomen de tous acabits et des concours comme ceux de *Elle* pour glorifier les femmes performantes. Nous faudrait pour nous défrustrer cumuler volonté de fer, QI d'enfer et porte-monnaie de Rockefeller. Plus le temps adéquat pour tout faire.

N'empêche. On lit tout religieusement. Au premier degré, presque. En nous demandant pourquoi notre F4 ne ressemble pas à cette délicieuse maison du dix-neuvième (siècle, pas arrondissement), entièrement meublée Napoléon III par Marie-Laure de V... (elle a un mari banquier, un vague boulot à mi-temps d'attachée de presse dans les champagnes et ses trois enfants en total look Bonpoint sont élevés par la nurse et la jeune fille au pair). Et de nous enfoncer dans le cercle déli(vi)cieux du toujours plus, sautant de micro-ondes (voir le n° 2146, rubrique vie pratique, « Des petits fours sur canapés ») en crèmes amincissantes (voir rubrique beauté du n° 2365, « Tartinez pour maigrir »), de caleçons super moulants (déconseillés aux plus de 35 kg et moins de 1,75 m), en recettes simples pour l'été (« La terrine de petits légumes en gelée et son coulis de tomates naines au basilic et estragon », préparée amoureusement à l'heure où d'autres sont à la plage.)

Sans oublier bien sûr tous les conseils amicaux donnés par des rédactrices toujours soucieuses de votre bien-être : « Où sont les hommes ? Comment les trouver ? Les retenir ? Les balancer ? Les enfants du divorce sont-ils des surdoués ? Mère ou produire, faut-il choisir ? Comment être une SuperWoman efficace ? » A cette dernière question, le magazine *Cosmopolitan* semble avoir trouvé un début de réponse. Il paraîtrait que nous ayons dans le corps une super hormone, la *noradrénaline*, qui nous rend ce que nous sommes, des femmes turbo. Mais la journaliste de conclure cependant et prudemment que sans or-ga-ni-sa-tion, la noradrénaline ne vaut rien. « Si les femmes turbo réussissent à mener plusieurs combats de front, c'est d'abord grâce à leur sens suprême de l'organisation. Ainsi, elles rentabilisent au maximum leur carburant. » Il leur faut aussi s'autosuggérer: « Les petites phrases dopantes "je vais y arriver", "je suis la meilleure" stimulent le processus hormonal. » Mais ça, on n'a pas besoin d'être shootées à la neuro machin-chose pour le comprendre. Ça fait belle lurette qu'on est toutes accros à la méthode Coué.

Super Alma

Alma (la vie, les enfants, la vie), lancé l'année dernière, c'était le magazine sonnant le glas de la femme libre. Dès le premier numéro, la pub annonçait la couleur. « La maman de choc, cheval de bataille du mensuel, se fait belle d'une main ; de l'autre, elle repeint la chambre des enfants ; avec la bouche elle embrasse l'homme de sa vie ; un pied dans les soldes ; un autre à la gym ; avec la tête maman de choc assure au bureau ; un œil sur les devoirs des enfants ; une oreille pour les plus grands secrets de la terre. Avec son cœur, elle arrive à tout faire, c'est vraiment une maman de choc. » *Alma* voulait accomplir le tour de force de tout grouper dans un seul journal. Jusque-là, y avait les magazines enfants-parents, les magazines féminins eux-mêmes divisés en sous-catégories. Là, on trouvait tout comme à la Samaritaine, puisque ce féminin maternel croyant avoir bien senti le vent (et l'époque) s'adressait « à la femme active préoccupée par la réussite de sa vie sur tous les plans ».

Sympathique projet, ambitieux, mais pervers. Si pervers, du reste, que même les plus accros d'entre nous, les plus identifiées à cette esclave de luxe qu'est la maman de choc, ne se sont pas longtemps laissé prendre. *Alma* n'a pas survécu au-delà du huitième numéro. Paix à son alma, donc, et sans vouloir tirer sur un fourgon mortuaire, reconnaissons quand même que le concept était vicieux et vicié à la base. Il revenait à dire non, toutes les femmes ne sont pas seulement les jolies frivoles fascinées par leur ego (*Elle*), les bosseuses narcissiques et marrantes (*Cosmo*), les bourgeoises autonomes mi-Moudjahedine, mi-Azzedine (*Marie-Claire*), les BCBG recentrées famille (*Madame Figaro*), les petites fées du logis (*Femme Pratique*), les allô maman bobo (*Parents*) qu'on voudrait nous faire croire. Elles sont tout cela à la fois. *Alma* tendait un miroir à peine déformant aux folles de notre espèce qui courent toute la journée et trouvent à peine le temps de s'asseoir pour le feuilleter.

Alma était là pour les rassurer, les conforter dans leur entreprise titanesque, pour leur dire bravo, continuez, pour leur montrer qu'elles n'étaient pas les seules dans ce merdier. Et pour leur donner le maximum de petits trucs qui tout en leur facilitant la vie leur permettait d'en faire plus, encore plus, etc. Bref de les attacher de plus en plus serré à leur cage, qui pour être dorée, n'en est pas moins verrouillée. *Alma,* qui s'adressait soi-disant à des femmes libérées, était le dernier stade de l'asservissement féminin, le pire, parce qu'il était destiné à des lectrices épanouies. En principe.

Chaque numéro enfonçait un peu plus loin le clou. Celui de janvier 1987 titrait en accroche : « Quel est le bon patron, celui des ambitieuses et des mères poules ? » Réponse : « Le meilleur patron est une patronne. » La boucle était bouclée. Pour être à la fois des mères et des travailleuses et le reste à l'avenant, il vaut mieux se retrouver entre nous, les faaammes. Nous qui comprenons mieux que quiconque tous les problèmes inhérents à notre condition.

Le fin du fin fut quand même, dans ce même numéro 3, une nouvelle au titre évocateur, « La fille aînée ». Une malheureuse celle-là. De la graine de SuperWoman élevée au quart de tour par une maman de choc toujours pressée, qui a réussi à faire de sa fille chérie, sa digne héritière, une déesse hindoue dotée de trente-six bras et d'une tonne de sagesse. Thème de l'histoire : catastrophe, la nounou est malade et il y a les deux petits à garder. Décision déchirante : tant pis, la grande sœur restera pour s'en occuper. On remarque au passage que, primo, du père, il n'est point question (ce qui ne fera que conforter ce bienheureux homme, s'il lit en cachette le journal de sa femme, dans la conviction qu'il n'a plus aucun rôle à tenir à la maison). Et deuxio, qu'il ne saurait être question ici de fils aîné. Le féminisme là encore a été tellement bien intégré qu'il s'est carrément désintégré NouvelHomme, même en ersatz, connaît pas

Donc, on s'en doute, drame cornélien pour la mère qui culpabilise toute la journée derrière son bureau. Retour en trombe à la maison après les huit heures réglementaires. Mais que vois-je ? Mais quel miracle ! Sa petite bonne femme d'intérieur a fait le ménage, la purée Mousline des frérots, le repas du soir pour les parents, ses devoirs en prime et cette petite « fille avec ses tresses bien sages (qui) ne jouait pas un rôle mais remplissait une fonction en pleine conscience » se paie même le luxe d'expliquer à sa mère que heureusement qu'elle est là pour rattraper les gaffes car maman est comme la nounou : « elle oublie tout ».

Edifiant. Et dans dix ans allez comprendre pourquoi, par analyste interposé, elle nous reprochera de lui avoir bouffé son oxygène et son enfance, la fille aînée. A moins, et c'est ce qu'on lui souhaite, qu'elle ne décide tout simplement de décrocher, de se ranger des voitures, de couper le turbo, et de circuler à vélo.

Le plus curieux dans toute cette histoire c'est que des gens sérieux, ayant étudié le lancement du magazine pendant deux ans au moins, aient pu croire un instant que les SuperWomen allaient se laisser prendre par ce portrait, exact peut-être mais insupportable certainement, que le journal voulait tracer d'elles.

Mais elles n'ont pas marché. Elles ont rejeté cette image d'elles-mêmes qui une fois de plus les enfermait sous le prétexte inverse. Et ça, c'est plutôt rassurant.

IV

La faute à nous-mêmes

Je suis tombée par terre,
C'est la faute à ma mère,
Le nez dans le ruisseau,
C'est la faute à Dolto…
(Air connu.)

Des coupables ? Encore des coupables ? La liste n'est pas close. Les hommes, les féministes, les médias, d'accord. On vient de voir à quel point ils étaient responsables. Mais il y a aussi nos mères, clés involontaires de nos contradictions. Nos chers *psydiatres*, Dolto, Brazelton, Pernoud et cie qui nous culpabilisent tant qu'ils le peuvent, sous prétexte de nous rassurer. Sans oublier dans un autre registre la boss génération, les dopées du business, les pros de la réussite qui ont élevé le succès au rang d'animal sacré.

Et dans ce grand lamento, ce concerto pour grognements et colère, on trouve encore une criminelle de choix. Qui ? Allons, inutile de jouer les étonnées… Il est grand temps pour nous de faire amende honorable. De battre notre coulpe trois fois, de nous frapper la poitrine en criant que l'esclavagiste number one, c'est SuperWoman en personne…

Maman les pt'its Dolto...

Coupables nos mamans ? Eh oui. Si elles ne nous avaient pas inculqué à coups de marteau, depuis notre plus tendre enfance, certains principes qui nous collent encore aux doigts comme du papier tue-mouche (« Passe-toi un coup de peigne, passe-moi les plats, passe l'aspirateur, passe ton bac d'abord, passe-lui la bague au doigt »), on n'en serait pas là. Les plus évoluées qui croyaient bien faire ont eu beau nous enjoindre de choisir un métier, elles terminaient sans varier d'un iota leurs phrases par « ... Au cas où il t'arriverait un pépin » (que, passées expertes dans leur art consommé du double langage, nous traduisions aussi sec par « Au cas où tu n'aurais pas ou plus de mari »). De quoi en perturber plus d'une. Dur de s'en sortir après ça, dur d'être à la fois comme maman mais en mieux et surtout pas comme elle... Aujourd'hui elles plaident l'innocence. Elles n'ont fait, disent-elles, que ce que leur dictait leur amour maternel. Et de nous faire perfidement remarquer que nous agissons de même avec nos filles en leur serinant dès les premiers biberons *notre* vademecum de bonnes SuperWomen. Décidément, entre leurs profs, nos mères et les psydiatres, il va falloir sérieusement songer à leur ouvrir très tôt un plan d'épargne-divan, les retombées de notre éducation risquant d'être terribles...

Car eux non plus ne sont pas innocents, les Dolto, Brazelton, Pernoud, Dodson et confrères Mine de rien ils distillent en nous le poison de la culpabilité et augmentent les doses dès qu'ils nous sentent atteintes. « Au travail, une femme doit être efficace, dit Brazelton Mais à la maison, une mère efficace risquerait d'être la pire espece de mère pour ses enfants car chez elle une femme doit être souple et chaleureuse*. » Pour que les chers petits évitent le traumatisme, il faut que nous devenions schizophrènes... Passer du bâton de chef au rouleau à pâtisserie de la maman gâteau, naturellement, sans efforts.

A force de lire et relire dans tous leurs best-sellers (très bien vendus grâce à nous qui les achetons en piles) que nous nous devons d'être des mères exemplaires pour ces petits êtres qui n'ont que nous comme modèle, nous nous focalisons sur chaque respiration, chaque seconde de leur existence. Et nous flippons car nous avons toujours tout faux. Nous les étouffons trop, nous sermonnent les sages. Mais si au contraire nous prenons du large, Mamie Dolto ou Papy Brazelton sont là pour nous rappeler à l'ordre : notre progéniture a tant besoin de nous.

C'est qu'ils sont diablement subtils ces éducastreurs de mères pour le bien de l'enfant. Aucun n'aurait bien entendu le front de nous enjoindre de rentrer à la maison. Au contraire, ils nous poussent en avant. « Allez-y écrivent-ils, si vous êtes épanouies, vos enfants le seront aussi. » Mais insidieusement, ils remettent les pendules à l'heure. Ils nous demandent de nous surpasser pour éviter de les traumatiser. « Gardez le contact avec la crèche, la maternelle, écrit Brazelton. Vous y puiserez l'assurance qu'il ne souffre pas trop de la vie de fous que vous menez. » Que retenons-nous de ces sages conseils ? Les mots « souffrir » et « vie de fous » qui s'impriment en lettres de feu dans nos têtes de façon indélébile. Bien sûr qu'on ne veut sous aucun prétexte les rendre malheureux nos babies. Alors on devient tendues, inquiètes sur chaque détail, essayant de toujours agir le mieux possible mais sur la pointe des pieds.

* Brazelton, *A ce soir*, Stock, 1986.

Car là aussi, « ils » nous attendent avec des massues, nous reprochant notre perfectionnisme.

Au moins nos chères mères, qui nous ont, elles aussi, éduquées tout de travers, ont-elles dormi tranquilles pendant toute notre enfance. Elles qui n'ont jamais éprouvé à notre égard le moindre atome de culpabilité

Success Story

La faute à qui, encore ? A la société dont le cœur bat au rythme des Sulitzer, Jacky Setton, Naf-Naf et autres successfulmen ? Pas faux. La pression sociale qui s'abat sur nous dès le plus jeune âge nous oblige à gagner. En tout. Et nous encore plus que les autres pour rattraper le temps perdu. Depuis que la compèt' est ouverte officiellement aux femmes (ça, on l'a bien cherché), on est tous et toutes à piaffer sur la même ligne de départ. Et que le (la) meilleur(e) gagne.

Aujourd'hui, pour jouir à la fois de l'estime de ses concitoyens, de la confiance de son banquier et de l'admiration sans bornes de son épicier, il faut être entreprenant(e), battant(e), créatif(ve), positif(ve) performant(e), ambitieux(se), etc. Monter sa propre boîte avant vingt ans passés sous peine d'être taxé de raté, faire un milliard de chiffre d'affaires dans l'année qui suit, viser à terme le second marché, avoir un plan de carrière, une image médiatique, un conseiller en look, une attachée de presse et employer un nègre pour écrire sa success story.

Bref, réussir et le dire. Ga-gner et com-mu-ni-quer, les deux mamelles de la France qui bouge. Que nous trayons jusqu'à plus soif.

Pas question de se défiler si on veut survivre. On est

obligées de déborder de projets, d'avoir mille idées seconde, de produire. Livres, rapports, articles, thèses, plaidoiries, discours... L'important c'est la prose. Cumuler deux ou trois jobs à la fois pour « s'amuser », s'occuper de politique, de charité bizness (très bien vu), jongler avec son portefeuille d'actions, donner des cours à Sciences Po ou à la fac de droit, pondre des éditos dans une revue de sciences sociales, dessiner des meubles, des vêtements, des bijoux ou sculpter sur métal, créer un parfum, s'adonner à l'astrologie ou aux sciences occultes, écrire un roman historique le soir à la chandelle... Bref transformer ses hobbies en boulot, son métier en passion et gérer le tout sur son ordinateur.

Nous, nous et encore nous

Que tout et tous nous incitent à être partout les meilleures, OK... Mais qui nous y *oblige* ? Personne, sinon nous. Quelle petite voix nous souffle de continuer à nous battre envers et contre tous ? Aucune, sinon la nôtre. Qui nous fait cumuler douze vies là où le commun des mortels, c'est-à-dire les mecs, canerait au bout de cinq ? Nous. Quel démon nous tanne pour être parfaites en tout, bien élevées, serviables, jolies, intelligentes, raffinées, persévérantes, fonceuses, drôles, dures à la tâche, rudes en affaires, etc.? Encore nous. Qui nous demande d'être tout cela à la fois, de ne jamais choisir entre nos différents rôles, de tous les assumer ? Nous, nous et toujours nous. Qui, sinon nous-mêmes, nous force à en rajouter, à toujours nous dépasser ? On devrait pourtant savoir dire stop comme des grandes. Ce n'est plus l'exploitation de la femme par l'homme mais de la femme par elle-même.

Qu'est-ce qui fait courir Chloé, trente-huit ans, belle, drôle, intelligente, sept enfants (et envie d'un huitième), entre Paris où elle travaille la semaine, Ramatuelle où elle vit avec sa tribu qu'elle rejoint le week-end, l'amour de son homme, ses chats, ses chiens, le roman qu'elle a commencé, les articles écrits entre deux tétées, les grandes tablées du samedi soir où elle cuisine sans sourciller pour vingt personnes ? Qu'est-ce qui la fait courir à mille à l'heure sans prendre le temps de souffler ? Rien et tout. L'envie que tout soit bien autour d'elle, harmonieux, épanoui, pour être par-fai-te-ment heureuse. Car, dit-elle, « sans stress, je m'ennuie ».

Qu'est-ce qui fait que là où on nous en demande beaucoup, nous en donnions encore plus que prévu ? Une SW, au magazine *Biba* : « La difficulté me stimule, c'est ma drogue. »

Qu'est-ce qui me pousse moi-même, auteur de cet ouvrage, trente-deux ans, journaliste, deux enfants presque encore des bébés, toujours tiraillée entre un boulot très prenant, un Super(Nouveau)Man dans ma vie et les soucis domestiques, à m'installer chaque soir derrière mon MacIntosh pour aligner des pages et des pages ? A voler des instants de liberté à ma vie qui n'en est pas si riche pour travailler et travailler encore et jusqu'à plus soif ? L'ambition ? Certes. Mais pas seulement. Le goût du défi ? Bien sûr aussi. L'inconscience ? Sûrement un peu. Tout cela mélangé plus un millier d'autres choses...

Et toutes les autres, les milliers d'autres, dopées à l'adrénaline, shootées aux enjeux quotidiens, qui luttent ainsi contre la peur du vide et se battent pour trouver des raisons d'exister ?

Peut-être est-ce qu'au milieu de toutes ces qualités qui nous honorent, nous sommes affligées de deux ou trois défauts capitaux, qui loin d'entacher notre image de

Femme Parfaite nous obligent au contraire à la peaufiner sans cesse.

Narcissiques et vaniteuses, obsessionnelles et perfectionnistes, insatisfaites et boulimiques, etc. Nous avons épousé toutes les faiblesses du siècle, en les portant, avec nos qualités, en bandoulière. Et ce sont sûrement elles qui nous font avancer...

Que cent Narcisses s'épanouissent

C'est vrai que les barreaux de la prison ont changé. Hier, enchaînées aux hommes et à des siècles de préjugés, nous luttions contre de justes et tangibles causes. Aujourd'hui nous nous ligotons nous-mêmes. Difficile dans ces conditions de nous jeter la pierre sous peine de nous faire mal. Se battre contre les autres, d'accord, mais pas contre soi-même. Ou alors il faudrait être vraiment maso. Pas notre genre. Nous, qui sommes plutôt à classer parmi les Narcisses, préférons de loin nous envoyer des fleurs, « Ah je ris de me voir si belle... », plutôt que nous traîner dans la boue. Nous aimons tant plaire, à nous d'abord, aux autres ensuite, que nous fixons toujours la barre un peu plus haut, histoire de nous épater et de bluffer le monde.

Qui n'a jamais cédé à la vanité, seule devant sa glace à soliloquer ? (Allons, allons, péché avoué est aux trois quart pardonné et celui d'orgueil est si minime...) « Je viens d'être nommée chef de service avec l'augmentation en prime, Eugénie est première de sa classe, Anselme fait l'admiration des autres mères au square, mon jules est un mec en or, mon appart' ressemble à un repartage couleurs de *la Maison de Marie-Claire*, ce que je raconte est toujours passionnant, mon canard aux pommes est le meilleur de Paris et en plus qu'est-ce que je me plais ce soir... »

Ah, Narcisse, Narcisse, que d'efforts accomplis en ton nom... Et ce reflet que nous chérissons tant est à la fois celui de notre miroir et celui que nous renvoie le regard du monde. Avouons-le, là aussi nous sommes en dépendance. Eblouir nous est devenu une drogue dure, dont nous avons de plus en plus de mal à nous dépêtrer une fois dépassé le stade de l'accoutumance. Nous sommes désormais accros à l'émerveillement des Autres. Impossible de rendre le micro maintenant que nous avons pris l'habitude de tenir le devant de la scène. Une fierté certaine, un doux chatouillis de l'ego nous saisissent quand on nous dit avec admiration : « Je ne sais pas comment tu fais... » Les compliments nous stimulent, l'enthousiasme nous aiguillonne, l'extase nous fait faire des bonds. « Toi, tu es formidable... » : une douce antienne qu'on transformerait volontiers en devise.

Et même l'envie nous donne des ailes. Car nous n'avons pas que des fanas, des groupies. Certains hommes nous détestent, car nous leur faisons peur. « Machine ? Elle n'a plus rien d'une vraie femme » ou « Elle est quand même très hystérique... » Loin de nous démolir, ces attaques d'une rare bassesse nous piquent au vif. Raison de plus pour leur montrer ce dont on est capables. Certaines femmes, de l'espèce au foyer, nous jugent insupportables (« Elle est d'une prétention... » ou « Mais au fond, est-elle vraiment heureuse ? »). Rien de tel pour nous encourager à courir derrière tous nos lièvres.

Des obsédées obsessionnelles

Perfectionnistes ? Certes. Mais obsessionnelles plus encore. Nous ne nous reposons que lorsqu'il ne manque pas un rouage à la belle mécanique que nous avons construite. Qui n'est jamais repassé derrière ceux à qui on « délègue » ? Qui n'a jamais vérifié derrière leur père que les enfants ont les fesses au sec, les ongles bien coupés, les blousons bien boutonnés ou que la robe à pois n'est pas portée avec les chaussettes à fleurs ? Etonnons-nous ensuite que le NouvelHomme, maladroit mais plein de bonne volonté, nous plante en plein milieu, pour aller regarder son foot à la télé.

Qui n'a jamais vérifié derrière celles qui nous aident au ménage si la poussière des meubles a été bien ôtée, la cuisine dans les coins bien nettoyée ? Quitte à tout refaire nous-même, ce qui ne présente aucun intérêt et triple dans tous les cas la fatigue.

En fait nous nous obstinons sur les détails les moins importants, sur le matériel le plus banal, alors qu'il serait tellement plus simple de lâcher du lest. Après tout, si Antoine n'a pas les oreilles propres, si les enfants n'ont pas eu leur ration de légumes, si l'aspirateur n'a pas été passé, où est le problème ? Dans nos têtes seulement. Tout le monde, à part nous, vivra très bien sans. Ce qui loin de nous rassurer achève de nous exaspérer.

Bien sûr la perfection, c'est surtout dans les contes. On n'y arrive pas vraiment. Heureusement, car nous serions carrément invivables. Nous le sommes déjà sufisamment comme ça. Le drame, c'est que nous y tendons tout de même. Et nous courons avec tant de force après cette Super Image de nous-mêmes que nous finissons par nous perdre alors que nous croyons gagner.

Toujours plus

Jamais nous ne réussissons à privilégier un domaine plutôt qu'un autre. Après tout les hommes, eux, font des choix. Les politiciens et les businessmen sacrifient leurs femmes et leurs enfants ; les papas poules mettent leur famille en avant ; les sportifs préfèrent trois heures de tennis à une matinée passée à compulser des dossiers ; les Don Juan refusent de se fixer, etc. Mais nous, s'il nous manque quelque chose au tableau nous nous sentons irrémédiablement frustrées.

On aurait pu se contenter d'être seulement des épouses et des mères, se consacrant avec bonheur, grâce aux acquis de la libération sexuelle et du micro-ondes, à l'objet de leur flamme et à leur foyer. Passant sous silence, les quelques petits inconvénients inhérents à cet état. Dont la dépendance financière. (Mais si l'on décide que chaque travail mérite salaire, et femme d'intérieur ce n'est pas l'un des moindres, craquer pour « une petite paire de sandales Kélian, je t'assure, chéri, une affaire », ce n'est au fond qu'un dû.) Le gros avantage primant tous les défauts de la condition de femme à la maison, c'est que, n'ayant pas plusieurs fers au feu comme les autres, elles ne se prennent pas la tête chaque matin pour savoir par quoi commencer. Mais ça, on n'aurait jamais pu le supporter. « Si j'étais restée à la maison, j'aurais été une mère insupportable, j'aurais eu l'impression que la vie est ailleurs », avoue l'une d'entre nous, journaliste, à un magazine féminin.

On aurait pu être simplement des femmes actives, créatrices ou careerwomen. Réussir dans nos jobs, vivre un ou des amours comme bon nous semblerait et se consacrer tout entières à la carrière. Et faire comme toutes celles, Simone et Hélène de Beauvoir en tête (peu nombreuses il est vrai, mais il ne tenait qu'à nous de multiplier l'espèce), qui n'ont jamais dévié de leur refus de la maternité, entrave selon elles à leur vie ou à leur art.

Seulement il nous a fallu aussi les chères têtes blondes

sans lesquelles notre vie de femme n'aurait pas été si complète.

On aurait pu laisser tomber tel ou tel aspect de notre vie privée ou publique, refuser les dîners en ville ou ceux entre copains (mais l'existence perdrait là beaucoup de son charme) ou se contenter d'y figurer en passant, sans excès de zèle. Là encore, il nous a fallu non seulement briller de tous nos charmes, mais encore être au courant de tout, du dernier potin à la dernière rumeur, savoir que Kuramata n'est pas une marque de motos mais un designer japonais, que le dernier Woody Allen est nul (ou génial), connaître les intentions de vote pour Barre, avoir lu le dernier Sollers pour pouvoir le démolir en connaissance de cause. Bref, après des siècles de disgrâce, être belles et parler. Avec humour de préférence.

Mais non, on a tout voulu, tout désiré, tout pris, tout obtenu. Nous avons tout englouti comme les boulimiques que nous sommes devenues. Et dès qu'on a tout eu il nous a encore fallu aller vers autre chose. La satisfaction n'est pas de notre monde. Un grand amour ? Il nous faut l'enfant. Un enfant ? Il nous en faut deux, puis trois ou quatre. Un mari ? Il nous faut un amant. Un job ? Il nous faut grimper au sommet. Les hauteurs ? Il nous faut aussi le fric. La réussite complète ? Il nous faut le bonheur. Tout à la fois ? Ça va toujours pas, ras-le-bol d'être SuperWoman...

CONCLUSION

Se la couler douce ?

> « On n'est pas un petit peu enceinte : on l'est ou on ne l'est pas. De même, on travaille ou on ne travaille pas. Il n'y a pas de demi-mesure. »
>
> Denise FAYOLLE*

Rassurez-vous. Rien n'ira en s'améliorant, au contraire. Pourtant l'âge venant, les enfants grandissant, on se dit, on espère, que tout va peu à peu rentrer dans l'ordre. Qu'on va pouvoir goûter enfin aux joies simples de la vie, sans bousculades, sans excès de vitesse. Rouler cool, pied sur le frein. Funeste erreur. Parties comme nous le sommes, le repos c'est râpé. Les heures privilégiées, la liberté de disposer gratuitement de nous-mêmes, le plaisir sans courir, l'amour sans bourre, le boulot sans turbo, nada, nenni, des clous. On n'est plus programmées pour la glande. Pour nous la ouate, c'est coton. Le droit à la paresse ? Comme la semaine des quatre mercredis : dans une autre vie peut-être.

* *Femme manager, specimen d'avenir, F. Lautrédou,* Carrère-Michel Lafon, 1987

Du saupoudrage

Des solutions pourtant, tout le monde en a à portée de la main. Eliminons d'entrée de jeu la plus simple et la plus bête, s'arrêter de bosser. Il faudrait pour ce faire rencontrer le riche nabab qui acccepterait de nous entretenir (l'espèce se fait de plus en plus rare). Mais souhaite-t-on vraiment se retrouver femme au foyer et retourner vingt ans en arrière ? Impossible. On a trop ramé pour en être là où nous sommes.

Peut-être faudrait-il fonder un lobby de femmes, prêtes à prendre le pouvoir, pour que l'Etat et les patrons s'intéressent un tout petit peu plus à nous qui représentons la moitié des forces vives de ce pays. Aux Etats-Unis, les pédégères qui croulent sous leurs triples vies et le manque de lois sociales (congés maternités, connaissent pas les yankees) commencent à s'organiser, à revendiquer et menacent même de se retirer des affaires si on ne leur donne pas satisfaction. Elles réclament, comme nous réclamons à nos heures perdues (pas si nombreuses), horaires flexibles, travail à domicile ou à temps partiel, garderies dans l'entreprise. Solutions sympathiques certes, mais vraiment efficaces ? J'en doute Tout cela sent le saupoudrage. Le cataplasme sur la jambe de bois. On ne dirige pas une PME à mi-temps On ne réussit pas entre dix heures et midi. Faut savoir ce que l'on veut une bonne fois pour toutes.

La stratégie du repli

Peut-être est-ce aussi à nous de changer ?

Comment ? On a beau se creuser la tête, à notre âge, c'est pas si évident de se recommencer. Devenir bêtes ? Difficile.

Se laisser aller sans complexes, sans vergogne, la fesse molle, le cheveu en bataille, les jambes douteusement duveteuses (qui écrira un jour le poilant traité de l'épilation chez la femme pressée, qui commence plein de bonnes résolutions à la cire quelques jours avant de partir en vacances et se termine piteusement le rasoir du conjoint à la main, sous la douche, parce que pas le temps d'agir autrement ?), etc. L'horreur. On veut bien faire l'impasse de temps en temps sur un point parce que tout en même temps, ce n'est pas humainement possible, mais pas sur tout. Jamais.

Renoncer à se cultiver ? Impossible. Le pli est pris. A lire les journaux ? Trop tard, on est déjà totalement accrochées à l'info. On ne peut pas se permettre de sécher plus d'une semaine d'affilée les cours du dollar, la dernière déclaration de Chirac sur le terrorisme, ou celle du docteur Schprountz sur le Sida. Car ensuite pour rattraper on doit mettre les bouchées doubles.

Renoncer à être branchée, rayer ses listes de *in* et de *out* et ne suivre que son instinct de survie ? Accepter de ne pas être tout à fait au goût du moment, tant pis si le canapé Cassina jure avec les fauteuils crapauds de la tante Marie, tant pis si on n'a pas vu le dernier Woody. Tant pis ? Autant aller sur-le-champ s'installer dans un village des Cévennes. Bien sûr qu'on peut vivre sans le superflu. Oui, mais tellement moins bien...

Vivre seule, pour éviter les efforts, les conflits, les disputes ? Rigolo un temps de s'ouvrir son Bolino, peinarde, le soir devant la télé, sans personne pour râler parce que le dîner n'est pas prêt. Mais la solitude aussi finit par peser.

Tout cela non plus, je n'y crois guère. On ne sera jamais capables de renoncer au quart du tiers de ce qu'il faudrait pour nous calmer un peu. Bien sûr, on pourrait être un tantinet plus décontractées, un peu moins axées sur la perfection, un peu moins maniaques, un peu moins boulimiques. Difficile pourtant de larguer ce mélange détonant de nouveaux acquis et d'ancienne éducation qui explose dans nos veines. Trop tard. Il est trop tard pour nous.

Il nous reste à nous battre pour nos filles. Et surtout nos petites-filles. Les rendre responsables. Les élever à la spartiate. Leur apprendre la vie, le b-a-ba de la survie dans la jungle. Leur donner les meilleures armes pour lutter. Leur expliquer, leur rabâcher que la vie d'une SuperWoman n'est pas jonchée de pétales de roses et que, si elles veulent suivre l'exemple de leurs mères, il leur faudra prendre les armes et ne pas les lâcher.

On finira, c'est sûr, dans la peau de SuperMamies radotant sous leurs Super Dentiers : « Quand j'avais un staff de trente hommes sous ma botte… » Mais elles, les princesses, les rusées, qui nous auront tellement vues ramer, préféreront les diams aux staffs. Et plutôt que d'avoir des hommes sous leurs bottes choisiront de les garder à leurs pieds. Babas, béats, transis. Amoureux et prodigues. Prêts à toutes les folies. Comme aux bons vieux temps que nous n'avons jamais connus.

Elles au moins se la couleront douce.

Et leurs filles, indignées par tant de laisser-aller, n'auront plus qu'à tout recommencer…

Achevé d'imprimer en octobre 1987
sur presse CAMERON,
dans les ateliers de la SEPC
à Saint-Amand-Montrond (Cher)
pour le compte des Éditions Calmann-Lévy
3, rue Auber, Paris 9e
N° d'éditeur : 11317/05
N° d'imprimeur : 1938
Dépôt légal : octobre 1987